テレビは見るな！新聞は取るな！

〈洗脳マシン〉に腐り果てた〈日本のマスコミ〉

Shunsuke Funase
船瀬俊介

SEIKO SHOBO

「言っては、いけない」
「書いては、いけない」
ことだらけ……。
阿呆をつくるテレビ、
馬鹿をつくる新聞、
……嗚呼。

【プロローグ】

いまや、日本は世界の〝落ちこぼれ〟

――「書けない」「言えない」マスコミの大罪

「死にたい」「殺したい」壊れていくニッポン

若者の自殺、世界ワースト1

——日本の劣化が、止まらない。
このクニは、どんどん滅びの道に向かっている。
いまや若者の自殺率は、世界ワーストワンだ。
若いひとに、今、いちばんしたいことと聞けば「死にたい……」と答える。
あなたは、信じられるか？
『十二人の死にたい子どもたち』という映画が封切りされた。
その題名に暗澹《あんたん》とした。ただ、言葉を失う。
それどころではない。日本人の自殺率は世界六位。先進国ではワーストクラスだ。
女性の自殺は世界一。日本人は、生きる気力すら失いかけている。
街を行く若いひとたちに、生気がない。
若者特有の弾けるような笑顔もない。表情が死んでいるのだ。
大学のキャンパスに行っても、歩く学生たちの姿は、まるで夢遊病者のようだ。
その様《さま》は、ゆらゆらと陽炎《かげろう》のように見える。

その姿には、若さの熱いエネルギー、つまりオーラがまるで感じられない。

六〇万人中高年〝引きこもり〟

「四〇歳以上の〝引きこもり〟約六〇万人……」

予備軍も含めれば、その数一〇〇万人を超えるという。

これも信じられない数字だ。世界にこのようなクニがあるだろうか？

そして、「五〇八〇問題」が懸念されている。

あと一〇年すれば、これら中高年の〝引きこもり〟が五〇代になり、老親の年齢は八〇代を超える。扶養者が寝たきりになったり、死んだあとは、誰が〝かれら〟を養うのか？

「食わせてくれる」親がいなくなれば、〝かれら〟はどこに向かうのか？

最悪のばあい、包丁もって、街に出てくるのではないか？

「死にたい」と「殺したい」は、裏と表である。

「完全に殺し切りました」

新幹線でナタを振るい、見知らぬ乗客を斬殺した二〇代の若者は法廷で平然と答えた。

「誰でもよかった」「殺したかった」

そんな不気味な犯罪が、さらに増えていくだろう。

日本人の心は、壊れ始めている。

経済も政治も芯まで腐り奈落の底へ

国際競争力は三〇位に転落

経済の凋落《ちょうらく》ぶりも、底無し沼だ。

国際競争力は世界三〇位にまで転落している（二〇一九年）。

前年は二五位だから、まさに坂道を転がるごとし。タイや韓国にまで抜かれてしまった。

……三〇年前、まさに経済力は、ジャパン・アズ・ナンバーワンだった。

世界トップ五〇社中三六社を日本企業が占めていた。

国際競争力でも日本は四年連続で首位を独占していた。

しかし、かつての栄光は、今は昔。世界トップ五〇にかろうじて残っているのは、トヨタ一社のみ。それも三六位という下位に甘んじている。

そのトヨタすらも凋落の一途。いつ五〇社からこぼれ落ちてもおかしくない。

それもそのはず。過去三〇年で、世界各国は軒並み経済を順調に成長させている。

しかし、日本だけがＧＤＰも株価もマイナス。目も当てられない没落ぶりだ。

まさに失われた三〇年……。平成どころか地獄の三〇年だったのだ。

なのに国民の七割が「平成はよい時代だった」と振り返り、世論調査で答えている。

まさに、能天気もきわまれり。「馬鹿につけるクスリはない」とは、このことだ。

破綻リニアに血税三兆円犯罪

政治の腐敗ぶりは、もはや批判する気力も萎《な》えそうだ。

安倍晋三政権の公私混同、職権乱用の凄まじさは、他に例をみない。

身内には利権の大盤ぶるまい。役人も従えば重用《ちょうよう》し、従わなければクビを切る。

モリカケ問題から桜を見る会……スキャンダルは次々に噴出する。

民主主義や国民主権などは、とうの昔にフッ飛んでいる。

しかし、国民はさらに奥深い空恐ろしい腐敗には、まったく気づいていない。

安倍は、国民の血税を、身内にバラまいてきた。

たとえば、森友学園には八億円、腹心の友・加計《かけ》孝太郎には約四〇〇億円……ポンと与えている。

ところが、これらも次の不正に比べれば可愛いもの。

安倍はリニア中央新幹線の工事費として、JR東海に三兆円もの巨費をポン！　とプレゼント（財政投融資）。

そのリニアも推進当事者のJR東海、社長本人が「必ず破綻する」と公言しているシロモノなのだ。

リニア自体が狂気の暴走計画――。

乗客は四万倍発ガン電磁波を被ばく（だから運転席は無人！）。

乗客は降りたあと、発ガンリスクは数十倍にハネ上がる（フィリップス報告）。

実験線で一四回も謎の失速事故（クエンチ）を起こしている。時速五〇〇kmメートルでトンネル側壁に激突、一瞬で燃え上がり、乗客一〇〇〇人は火炎地獄だ。

中仏は五〇〇km新幹線を完成！

「俺は絶対乗らない。死骸も出てこねえ」。これはＪＲ東日本、社長のホンネ発言。

まさに、そのとおり。

さらに、走行コストは新幹線の四〇倍！　原発二基が新たに必要となる。

ブラック・コメディは続く。

実は、磁気浮上しなくても、地上列車で時速五〇〇kmは可能なのだ。

中国は二〇一一年に、すでに、時速五〇〇km運行の超高速列車を開発している（本書第二章参照）。まさに近未来型の超弩級《ちょうどきゅう》列車だ。

それは「一帯一路」のユーラシア大陸を疾走するだろう。

フランスの新幹線ＴＧＶ（テジェヴェ）も、なんと時速五七四・八kmを達成。

実は、日本の「のぞみ」ですら、時速五〇〇kmが可能なのだ。それは公然の事実だ。

「……『のぞみ』で五〇〇km出るならリニアいらねぇじゃん」

さすがの若者でも、怒るだろう。

犯罪選挙！ 投票箱は〝ゴミ箱〟だった

集計マシン〝裏口〟から操作

さらに、わたしが力説したいのが目のくらむ不正選挙の実態だ。

あなたは自分の投票が日本を動かしている……と信じているはずだ。

だから、まじめに投票所に出向く。清き一票を投じる。あたりまえだ。

「選挙」こそが民主主義の基本である。

ところが、日本の選挙を請け負い、集計するのはたった一社に限られてきた。

株式会社ムサシ……。その個人株主の筆頭は、なんと安倍晋三首相だったのだ。それは、戦後、隠された利権として祖父・岸信介、父・安倍晋太郎、そして、息子・晋三へと受け継がれてきた。

総理大臣の〝所有〟する企業が、日本全国の選挙ビジネスを一手に独占してきたのだ。

まずは、完全な独占禁止法違反だ。さらに、票の集計に用いられてきたコンピュータには、二〇〇六年、〝バックドア〟があることが判明している。

つまり、ＩＤとパスワードさえあれば、外部から〝侵入〟できる。

専門家は「一台のコンピュータで、日本全国すべての選挙結果を〝いじれる〟」という。

つまり、日本中の選挙結果は、堂々と背後から操作できる……。

げんに、舛添知事が当選した都知事選挙の公表された得票数を見ると、驚愕《きょうがく》する。

二三区他の選挙区すべてで奇妙な数字が並んだ。全選挙区で舛添の得票数は、すべて前知事・猪瀬の得票数のピタリ四八％。ミステリー……？　そうではない。

「自民」の八倍！「未来の党」なぜ惨敗？

日本を闇から支配する〝選対本部〟が㈱ムサシに命じて入力させたのだ。

コンピュータは正直だ。全選挙区で、枡添の得票数は、すべて、ピタリ四八％で並んだ。

では、あなたの票はどこへ、消えたのか？

各選管事務所の開票・集計はすべて無視され、〝燃えるゴミ〟でクリーンセンターに送られたのだ。

これは、もはや不正でなく犯罪だ。

もっとも露骨な犯罪が行われたのが二〇一二年、衆院議員選挙だ。野党第二党として結成された「未来の党」のＨＰには、四〇〇〇万アクセス。まさに熱い国民の期待を浴びた。そして、投票当日。ロイター通信による出口調査で、自民九％に対して、未来七二％と、八倍もの大差で得票している（結果はサイトで公開されている）。

つまり、圧倒的大差で、このとき政権交替が起きたはずなのだ。

ところが、〝選挙結果〟は、自民大躍進（⁉）。自民の八倍も得票したはずの未来の党は六一人中五二人が落選して〝大敗〟……？（本書第五章参照）

わたしは確信する。このときも投票用紙は〝ゴミ箱〟へと消えた。

集計マシン、ムサシのバックドアが大いに活躍したことは、まちがいない。

〝闇選対〟がすべてを決める

このときも、テレビ、新聞も投票日午後八時の締切りと同時に「自民大勝！　野党惨敗！」と大々的に選挙特番を組んだ。

おかしいと思わないか？

投票用紙はまだ投票所にある。どうして、これほどの〝結果〟を〝予測〟できるのか？

マスコミ各社は「独自の出口調査」をしたからだ、と説明する。しかし、わたしの周りにメディアの「出口調査」を受けた人間は、だれ一人いない。そして、ロイター通信が独自に行った「出口調査」では、未来の党が自民の八倍も圧倒的大差をつけている。

誤差を考慮しても、未来の党の大差はゆるがない。

同党が政権奪取していたはずの選挙だったのだ。

未来の党の政権公約は、シンプルだった。「脱原発」「反消費税」……。

それを、〝闇の支配者〟は絶対に許さなかった。

ここから悪夢の売国奴、安倍政権がスタートする。

これら空前絶後の犯罪選挙に、マスコミは共犯として関わってきた。

この驚愕事実を胸に刻まなければならない。

（なお、㈱ムサシはネットで正体がバレたので、あわててソフトバンク・グループの傘下《さんか》にもぐりこみ姿を隠している）。

まさに、〝闇の支配者〟の命令下、テレビ・新聞は、〝洗脳〟マシンとして、選挙〝結果〟を国民の頭脳に刷り込んだ。

まずテレビ六局いっせいに行った「開票速報」こそ、〝洗脳〟である。

独自の世論調査、出口調査……が、聞いて呆れる。彼らは、例外なく〝闇の選対〟から情報を入手している。だから、各社横並びで同じ〝選挙速報〟が打てるのだ。

このメディアの罪は、万死に値する。

だから、テレビを見てはいけない。新聞を読んではいけない。

肉食え！ 心臓マヒ八倍、大腸ガン五倍、糖尿病四倍

絶対触れない食物の害

メディアは経済、選挙も破壊してきた。そして、日本人の健康も破壊してきた。

いまや、日本人の食生活はメチャクチャである。

テレビ番組は「肉食え！」の大合唱。

とにかく、料理番組から食レポまで、肉食え！ 肉食え！ の大合唱。

こうして、日本人の食肉消費は戦後一〇倍に跳ね上がった。

ところが、二〇一五年、国連は衝撃的な発表を行った。

それは、ＷＨＯ（世界保健機関）による勧告（警告）である。

「ハム、ベーコン、ソーセージなどは、発ガン物質五段階評価で、最凶の発ガン物質である。

それは、タバコやアスベストなどと同等の発ガン性がある」

さらに驚くべきは「牛、豚、羊などの赤肉も、上から二番目の発ガン性がある」と断定している。

このように近年、肉食や動物食こそが、多くの病気の元凶である……と、警告する研究報告が相次いでいる。

たとえば、肉食者は完全菜食者（ヴィーガン）より八倍心臓マヒで死ぬ（フィリップス報告）。

さらに、大腸ガンの死亡率は五倍（日系人と日本人の比較）。

糖尿病の死亡率も肉好きは三・八倍だ。

同じことは乳製品にもいえる。牛乳を飲むと骨折や乳ガン、前立腺ガンが四〜五倍激増する。チーズを毎日一切れ食べただけで、老人の大腿骨骨折は四倍……！

フライドチキンを一日一切れ食べるだけで、寿命は一〇年縮む。フレンチフライ週二回つまむだけで死亡率は二倍だ。これらの死因の多くがアテローム血栓症だ。

〝脂汚れ〟が血管にたまり、詰まった瞬間に心筋梗塞！　脳血管なら脳卒中！　それが、俗にいうポックリ病だ。人類の四人に一人がこれで命を落としている。死者はガンより多い。

ちなみに野生動物にはゼロ。人間は地球上でもっとも愚かな〝動物〟である。

これらは、命に関わるもっとも大切な情報である。

しかし、テレビ、新聞は、これら情報を完全に無視する。隠す。流さない。

広告主の食品メーカーが〝迷惑〟するからだ。

そこには、視聴者や読者への配慮はいっさいない。

マスコミは敵、テレビ見るな！ 新聞取るな！

書けない言えない記者の涙

このように、日本は芯まで腐り果てている。

ここまで読んで、あなたは目がテンだろう。呆気にとられて声もないはずだ。

「知らなかった」「初めて聞いた」……

あたりまえである。以上のことは、テレビも新聞も、いっさい伝えてこなかったからだ。

なぜか？

「……本当のことが、書けないんだ」

なんど、この嘆きの声を聞いたことだろう。

わたしには、若い頃より何人もの新聞記者の先輩、友人たちがいた（本書第一章参照）。

みな、正義漢で、やさしいひとたちばかりだった。

その彼らが、苦渋と諦めの表情でこうつぶやくのだ。

朝日のK記者は「辞めたい」と嘆き、読売のH記者は「ナベツネが白といえば白」と自嘲した。日経のM君は「企業批判は一行も書けない」。

共同のT先輩は「わが社は腐ってます！」と号泣した。

テレビ局もそうだ。

「放送できません！　××社がスポンサーですから」

スポンサーは、〃神サマ〃なのだ。絶対に逆らえない。

彼らは、大企業の広告主の名前が出ると、表情が固まり凍りつく。

ＮＨＫのディレクターだった年配のＩさんは、こうあざ笑った。

「オカマの腐ったような奴らばかりよ」

そして、こう言い足した。

「受信料ぜったい払っちゃダメ！」

雑誌メディアですらそうだ。

たとえば、『週刊読売』記者だったＴさん。笑顔も明朗で快活。彼の反応は率直だった。

「エッ、『花王』『ライオン』？　ムリムリ。書けるわけない。『サントリー』？　絶対ムリ」

まさに、即答である。

彼らは、私の友人、知人たちだ。まだ良心がある。だから、苦悩していた。

その姿は、痛々しかった。しかし、最近の若い記者たちは、ちがう。

「ウチは電磁波問題、書けないんですよネ」

朝日のＩ記者は、サラリと言ってのけた。

その、まったく悪びれない態度に、こちらがあぜんとした。

テレビを潰せ、新聞を潰せ

メディアは「社会の木鐸《ぼくたく》」「新聞は公器」。

……そんな言葉も、とっくに死語となり果てた。

そうして、この愛する日本は、芯まで腐り果てている。

しかし、九割以上の日本人は、これら衝撃事実にまったく無知だ。

テレビを心底、信じきっている。

愉快な楽しいCMにほほ笑み、すすめられるままにサイフを開く。

新聞は隅から隅まで目を通す。

世界の動きは、それで十分わかると思っている。

「知らぬが仏」という言葉がある。本来は仏教用語で「何も知らずにおれば穏やかに生きられる」という意味である。しかし、現代での意味は真逆だ。

「知らないうちに仏にされる」。つまり、「命もカネもむしり取られる」。

だから――。

「無知」は罪である。「知ろう」としないことは、さらに深い罪なのである。

わが国が芯まで腐り果てた元凶は、まず第一にマスコミにある。

かれらは、本来の使命を忘れ、利権に溺れて、権力に媚《こ》びた。

マスコミこそ、私たち市民、庶民、国民の共通の敵である。
国家の腐敗の元凶は、腐ったメディアの存在にこそある。
腐った部位は切除しなくてはいけない。
だから、テレビ局を潰す。新聞社を潰す。
日本新生の道は、それ以外にない。
そのためには——

「テレビを見てはいけない！」
「新聞を取ってはいけない！」

【もくじ】

【プロローグ】

いまや、日本は世界の〝落ちこぼれ〟

――「書けない」「言えない」マスコミの大罪

【第一章】

「真実を書けない」記者たちの苦悩と苦闘

——わが、忘れがたきマスコミ人たち

【第二章】

電磁波、リニア、5G、書けないことだらけ

──「言えない」「流せない」絶望の日本メディア

【第三章】

「医療」「栄養」、マスコミはウソをばらまく

――〝洗脳〟大衆は、闇の支配者の家畜《ゴイム》である

【第四章】〝陰謀論〟で目をふさぎ、〝都市伝説〟で耳ふさぐ

――明治天皇すりかえ、ＪＡＬ機撃墜、９・１１……

[装幀]……フロッグキングスタジオ
[本文DTP]……ホープカンパニー

【第一章】

「真実を書けない」記者たちの苦悩と苦闘

——わが、忘れがたきマスコミ人たち

「市民が社会を変える！」ネーダーイズムに心酔

わが青春の熱き日々

「……本当のことは、書けないんだ」

なんど、この嘆きを聞いたことだろう。

わが先輩、友人、知人の新聞記者たちの嘆きの言葉だった。

わが青春時代、九州大学（理学部）から早稲田大学（文学部）に転学した。

わたしは子どもの頃から工作などが得意だった。エンジン付き模型飛行機づくりなどに熱中していた。だから、自分は理系だと思っていた。

しかし、長ずるにつれ、自分は文系に向いていることがわかった。

そのきっかけとなったのが一九六九年の東大入試中止……。まさに一大事件だった。

それは、わたしの人生に一八〇度の転機をもたらしてくれた。

まさに、人生は塞翁《さいおう》が馬《うま》……。なにが幸いするかは、わからない。

在学中は、東京・中目黒に設立された日本消費者連盟（日消連）にボランティアで手伝いに通った。

きっかけは、一人の人物の登場だった。それが、ラルフ・ネーダー。

このアラブ系アメリカ人青年弁護士の告発書『どんなスピードでも車は危険』が、世界的ベストセラーとなった。彼はアメリカ最大の自動車メーカーGMの欠陥車を、たった一人で告発。それを一冊の本にまとめ、一躍時の人となっていた。そして、徒手空拳《としゅくうけん》ながら、独り綿密な調査を重ねて、このアメリカ産業界の巨人を裁判で訴え、打ち負かした。

GM社長は、一介の貧乏青年に連邦議会で謝罪の頭《こうべ》を垂れたのだ。

ダビデとゴリアテ神話

じつは、GMは、ネーダーの個人スキャンダルを探るために探偵を雇い、密かに尾行させ、その身辺を嗅《か》ぎ回った。それを察知したネーダーは逆に同社をプライバシー侵害で告訴した。そして、この訴訟でもGMに完勝した。

世間は、この快挙を旧約聖書の「ダビデとゴリアテ」の神話になぞらえて絶賛した。ダビデとは羊飼いの少年である。ゴリアテは歴戦勇士の巨人兵だ。その凶悪な怪物に真っ向から立ち向かい、ダビデは投石機の一撃で巨兵を大地に沈めたのだ。

この故事は「ジャイアント・キリング」と呼ばれる。「弱小の者が強大な者を倒す」の例えに使われる。

つまりは、痛快無比の大番狂わせだ。

血まみれの学生運動に幻滅

ネーダーは獲得した巨額賠償金で、市民グループ「パブリック・シチズン」を創設。

さらに、全米の大学に「パブリック・インタレスト・リサーチ・グループ（PIRG、公益追及組織）」を次々に設立していった。

彼のモットーは「市民参加で社会を変革！」。

つまり、市民運動（シチズン・アクション）による社会変革である。

わたしは、ネーダーイズムに心酔した。

その頃、全国の大学には学生運動の嵐が荒れ狂っていた。

九大ではさまざまな色のヘルメットがゲバ棒で抗争していた。

早稲田も例外ではなかった。ゲバ棒、鉄パイプが入り乱れ、血で血を洗うセクト間の内ゲバでは死者も続出した。

わたしは、胸を痛めながらその様子を傍観していた。

不思議でしょうがなかった。同じマルクス・レーニン主義の共産主義思想を共有していながら、どうして、憎悪と攻撃をお互いにくり返すのだろう？

そこには、流血の凄惨《せいさん》な暴力こそあれ、なんら生産的な実りは生まれない。

彼らの革命運動を横目で見ているわたしの眼前に現れたのがラルフ・ネーダーだった。

市民参加による第三の道

ネーダーイズムは、従来の消費者運動とは一線を画していた。

それまでは家庭の主婦たちが中心だった運動に対して、ネーダーは専門家をつのった。

「大企業に負けない人材をそろえないと立ち向かえない」

こうして、市民の側に立つ科学者、弁護士、ジャーナリストなど専門家集団が形成され、企業の不正に立ち向かっていった。その運動の特徴を一言でいえば「告発型」である。

そこにはゲバ棒も鉄パイプもヘルメットもない。むろん、火炎ビンなど論外だ。

左翼でもない。右翼でもない。社会変革の〝第三の道〟だ。

綿密な調査と科学的検証にもとづき、企業をチェックし、告発する。

だから、ネーダーイズムはコミュニズム（共産主義）ではない。

資本主義に基づく企業社会を肯定し、それを日々、監視し、チェックする。

不正や過ちがあれば、その改善を要求、提案する。

じつに理に適《かな》った社会変革の方法論である。

日消連にスタッフとして参加

そして、日本にもネーダーイズムに基づく市民グループが発足した。

それが日本消費者連盟（日消連）である。もと農林省の高級官僚だった竹内直一《なおかず》氏をはじめ、集まった面々は、キリスト教の牧師や労組職員など、毛色の変わった面々であった。マスコミは、それを「七人のサムライ」と呼んだ。

その趣旨に共感したわたしは、在学中も時おり中目黒の事務所を訪ね、作業を手伝ったりしていた。

当時からジャーナリスト志望だった。その修業の一環として、卒業後は一人の韓国人禅僧とともに全国の新興宗教や共同体を取材で巡って見聞を深めていた。

そのとき、日消連から「編集担当で参加してほしい」という声がかかった。

これも得がたい修業と考え、一〇年と年限を区切って身を投じることにした。

一〇年としたのは、組織の古株になって居残るのはイヤだったからだ。

よく労働組合など、古手幹部が幅を利かせている。

本人も気づかぬうちに古ダヌキになっている。だから、期限を切ったのだ。

いろんな記者がやって来た

こうして、二五歳の春から日消連のフルタイム・スタッフとしての日々が始まった。

同期に就職した高橋安明君は、同じ年齢の好人物だった。新聞配達で学費を稼ぎながら法政大学を出た苦労人だ。彼とはいいコンビが組めた。

温和で、やさしい、熱血の彼とは今でも親交がある。

日消連の活動は前述のとおり、告発型と呼ばれた。

それだけに、一般からの内部告発が多く寄せられた。

さらに消費者からはさまざまな苦情相談がひきも切らず寄せられた。

それらの事例を法律的、科学的、医学的に分析して問題点を抽出する。

そして、当該企業に公開質問状を送り付ける。これを「矢文《やぶみ》」と呼んでいた。

いかにも「七人のサムライ」である。

「貴見伺いたく二週間以内に文書にてご回答願いたい」

日消連の登場を、マスコミは好意的に受け止めた。

さまざまな告発を踏まえた企業への公開質問——。それは、新たな角度からの社会問題の摘出でもあった。告発アクションを行うときには、必ず記者発表を行った。

これが〝鉄則〟である。わたしも記者会見の案内をマスコミ各社にひっきりなしに電話で連絡した。当時はファクスなどもなく、すべて口頭での連絡である。

すると、さまざまな新聞社やテレビ局の記者たちが、中目黒の日消連事務所に顔を出すようになった。そのなかには、まさに常連の顔ぶれが決まっていた。

社会部や生活部、さらには遊軍記者などが、会見のたびに、中目黒駅からの坂道を登ってくる。

顔なじみになった記者たちは、わたしや高橋君にとってはちょうど兄貴分のような存在だった。

時には会見や取材の後に、駅前の居酒屋で杯を酌み交わし、おおいに盛り上がった。

そんな先輩記者たちの人間性に触れているうちに、マスコミが抱えている闇と、彼らの苦悩がかいま見えてきた。

そんな、愛すべき記者たちとの思い出である……。

記者クラブで麻雀中に「麻雀賭博」逮捕発表！

朝日新聞・社会部Sさん「やってらんねえ、オレ朝日辞めるワ」

Sさんはじつに話好きで気さくな方だった。

あるとき、取材に来たSさん、唐突にポツンと言った。

「オレ、朝日辞めるワ……」

隣の高橋君もビックリ。

「エーッ！　Sさん、せっかく朝日に入ったのに、もったいないじゃないすか？」

「イヤ、辞める」。その決意は固いようだ。

「オレの実家、田舎で旅館やってんのよ。それつぐわ」

朝日エリート記者から、ひなびた温泉宿の主人か……。

もったいないな。そう思って、わけを聞いた。

「……オレ、警視庁の記者クラブにいたのよ。詰めててもふだんはヒマだから、ずーっと麻雀漬けよ。相手は他社の記者仲間と広報部長の刑事サン。とうぜん、レートもあって賭けるからけっこう本気よ。で、熱中しているとクラブ幹事から『発表、発表！』と声がかかる。すると、広報部長サンが資料を各社に配付する。そして、こう言うんだよ。

『エエ……本日の逮捕事案はお配りした通り。被疑者三名。逮捕容疑は賭博現行犯。容疑内容は、都内××にて、麻雀賭博を開帳し、金品××万円相当を賭けて賭博行為に及んでいたもの。何か、ご質問は？』

こんな小さな記事は、資料を元にアッという間に書けるだろ。それで、またヒマで麻雀となる。そこに、広報部長の刑事サンがやって来て、腕をもみもみ張り切ってるんだ。

『さぁー、今度は負けを取り戻しますよお。はい……ロン！』」

ここまで聞いて、わたしも高橋君も噴《ふ》き出した。

「だろお？　オレも『あれぇ、おかしいなぁ？』と思ったわけよ。オレたちも麻雀賭博やってんじゃん。一人は刑事部長サマだよ。そして、チーだ、ロンだ、勝った負けたと熱くなってる。一方、街のチンピラは即逮捕で、オレたちはお咎《とが》めなしって、おかしいじゃん」

わたしも高橋君も、ただうなずくばかり。

「だから、やってらんねえ、と思ったのよ……」

サバサバした笑顔だった。

話好きのSさん。気のいい旅館のオヤジのほうがお似合いだな。

思わず、あいづちを打っていた。

化学調味料の記事で記者を飛ばした「味の素」

毎日新聞・生活家庭欄Tさん「味の素の圧力？　ああ……本当だよ」

Tさんは秋田の田舎出身という。いつも笑顔のひとだった。

笑うと目が糸のように細くなる。

「……小学校のとき、講堂で『二十四の瞳』の映画を観せられて、生徒み—んな、泣いたんヨ。それと『砂の器』を観たときも泣いたねえ。ウォーン、ウォーン……。まるで養豚場だよ（笑）」

これには高橋君とも腹を抱えて笑った。

Tさんのやさしさ、純粋さが伝わってくる思い出エピソードだ。

そのTさんが毎日新聞の生活家庭欄に次のような記事を書いた。

「化学調味料は、赤ちゃんには控えましょう」

するとデスクから呼び付けられた。

「この記事はなんだ！」

「グルタミン酸ナトリウムは、WHO（世界保健機関）も、『乳幼児に与えないように』と勧告してますよ。（米ワシントン大学の）オルニー博士も論文で、『子どもの脳の発達を阻害する』、そう警告しています。だから、『子どもに与えてはいけない』というのは、本当のことです」

デスクは、こう反論したという。

「本当だとは、わかってる。どうして、お前はいつも本当のことばかり書くんだ！　今、A社が来てるんだよ」と、隣の部屋を目くばせした。

わたしは、あぜんとした。

たったこれだけの記事に、味の素社は圧力をかけてきたのだ。

その後、Tさんに下された処分は、過酷なものだった。

ラジオ・テレビ欄への配置転換。もう、いっさい記事を書く機会は奪われた。

その非道の処遇は、六年間にも及んだ。

六年後にお会いしたTさんは、髪も真っ白になってひどくやつれていた。

なんどか、心臓発作で倒れたという。そのストレスの凄まじさを思い、胸が痛んだ。

思い切って聞いてみた。

「Ｔさんの不当配転の原因は、味の素の圧力だと言われていますが、本当ですか？」

「ああ……本当だよ」

Ｔさんは、あっさりと答えた。わたしは返す言葉を呑《の》み込んだ。

味の素は、一人の有能でヒューマンな記者生命をズダズダにしたのだ。

おそらく、隣の部屋では次のようなやりとりがなされていたのであろう。

「あんな記事を書いたＴ記者は、すぐに飛ばせ！」

ハイ、ご無理ごもっともと、へいこら無理難題を聞いた毎日側も情けない。

「応じなければ、広告費を引き揚げる」と脅されたのだろう。

この一事をしても新聞社が読者ではなくスポンサーの方を向いていることがよくわかる。

日経記者「僕たちジャーナリストじゃありません……」

日経新聞・Ｍ記者「企業に関わることは、一行一字書けません」

日経新聞・Ｍ君は、わたしの日米学生会議（ＪＡＳＣ）の後輩である。

わたしは、大学四年のとき同会議メンバーの一員として渡米した。

それは、アメリカ側の学生と会議で意見交換して、平和と発展のため親善をたかめる目的で毎年開催されている。

初めての海外行であり、各大学のネーダーグループを訪ねるなど思い出深い夏となった。

その縁で、M記者とも知り合った。まだ三〇歳前後の若手だ。彼はJASCの先輩として、わたしの執筆活動を高く評価してくれた。そして、日経ネット欄に、連載『ザ・グリーン・テクノロジー（GT）』の企画を紹介してくれた。タイトルどおり、地球にやさしい「緑の技術」を紹介するものだった。幸いに、連載記事はきわめて好評で、後に『THE《ザ》 GREEN《グリーン》 TECHNOLOGY《テクノロジー》』（彩流社）として単行本化された。

それもこれも、先輩思いの温かいM記者のおかげである。

そのM君と打ち合わせの後、メシでも食うかと歩いていた。と、どうも様子がおかしい。横断歩道の向こうで、なぜか、うつむいて立ち尽くしている。

「オイ、どうした？」。声をかけても、肩をふるわせるばかり。

近寄ると、突然、顔をあげてこう言った。

「船瀬さん、ボクたちは……ジャーナリストなんかじゃありません」

「おいおい、突然、何を言い出すんだ？　君は天下の日経のエリート記者じゃないか」

「ちがいます。企業に関わることは、一行一字書けません……。ジャーナリストなんかじゃないんです」

わたしは声を呑んでしまった。後は、ただ、その震える肩を見守るしかなかった。

その後、彼のことが気になり、日経新聞に問い合わせた。

すると……。

「……体調不良で長期休暇中です」

暗然として受話器を持ったまま、ただ、たたずんだ。

その後、彼の音沙汰は不明だ。社を訪ねる勇気もわかなかった。

彼が笑顔で職場に復帰していることを祈るばかりだ。

生真面目で、誠実な記者ほど、メディアの腐敗の前に悩み、苦しむ。

M君のためにも、日経新聞には企業一辺倒の体質を根本的に改めることを、心より望む。

「共同は腐ってます！」号泣、突っ伏した先輩

共同通信文化部・T記者——我慢の限界でワーッと号泣！

T記者は、共同通信の穏健温和な方だ。わたしより年上の先輩にあたる。

家族ぐるみの付き合いもさせていただいた。

穏やかな風貌とは裏腹に、一本強い芯の通った記者である。

それを痛感したのが、一冊の著書だ。

「船瀬さん、よかったらコレを……」

言葉かるく手渡された表紙には『隣人』というタイトル。自費出版だったと記憶する。

内容は、中国人留学生による殺人事件を題材にしていた。言語、文化に加えて身体的なハンディキャップを抱える青年が、ついに暴発して、人を殺《あや》めてしまう。

この一冊を書くにあたっての、Tさんの取材姿勢に感服した。

彼は、中国人青年の苦難を体感するため、なんと同じ仕事に就き汗を流している。

勤務先の共同通信は休暇を取ったのだろう。

こうして完成した本は、ノンフィクションとしてもきわめて完成度の高いものだった。

とくに感情を抑制した文体には引き込まれた。

この本には、彼のジャーナリストとしての矜持《きょうじ》がこめられていた。

そのTさんと居酒屋で呑んでいたときのことだ。

杯が進むにつれ、Tさんは、感きわまったようにわたしを見つめ、首をふった。

「船瀬さん……共同は、共同は……」

眼鏡の奥の眼はうるんでいる。

「共同が、どうかしたんですか?」

「……腐ってますッ!」

こういうや、ワーッと号泣してテーブルに顔を伏せた。

わたしは呆然として、それをただ見つめるしかなかった。

大の大人が、人目もはばからず号泣、嗚咽《おえつ》している。

彼は、職場の不正、不実に堪えに堪えてきたのであろう。

しかし、それも限界にたっした慟哭《どうこく》なのだ。

わたしは共同通信のどこが「腐っている」のか、尋《たず》ねることもできなかった。

しかし、通信社といえば、記事の配信を業務とする。一般の新聞社とちがってスポンサーがついているわけでもない。それだけ、自由なジャーナリズムのはずだ。

なのに、「共同は腐っている」と、彼は号泣とともに吐露した。

Tさんはすでに定年退職して、悠々自適の日々を送っておられることだろう。

あのふっくらとした優しい笑顔の穏やかな生活を祈っている。

朝日記者「オレもフリーでやっていけるかな?」

朝日新聞・K記者――東大二学部を出た痛快記者

朝日新聞のKさんは、わたしより三つ下くらい。ほぼ同年輩。彼は東大を二度出ている。

文学部と農学部、それぞれ卒業したという。初めて知って、スゲェーなあ、と感嘆したら
「イヤイヤ……」と苦笑い、恥ずかしそうに手をふった。

東大出には、二つのタイプがあるようだ。学歴を鼻にかけ、ひけらかすタイプ。

もう一つは、できるだけ自分では触れないタイプだ。

むろん、Kさんは後者。じつに人なつっこく、ユーモアのセンスもある。自分の写真をレイアウトしたハチャメチャお茶目な年賀状を手に取ったときは、Kさんらしいなと苦笑い。結婚前の女房にも気をかけてくれた。「一緒にどう？」と、バリ島のガムラン楽団の招待券を贈ってくれたりした。じつに、心細やかなやさしさだ。

その彼が、いつになく深刻な様子で「会いたいんだけど……」と連絡してきた。喫茶店で会う。彼はこう切り出した。

「オレ……朝日辞めようと思うんだ」

思いつめた目つきが真剣だ。口には出さないが「本当のことが書けない」という苦しみを、訴えていた。さらに、ポツリと尋ねてきた。

「オレも、フリーでやっていけるかな？」

「やめろ！」

即座に答えた。

「辞めるのをやめろ。Kさん、あなたにゃムリだ。

いいかい、あんたが乗ってるのは、例えるならクイーンエリザベス二世号だ。それに対して、オレが乗ってるのは丸太だよ。こっちは女房に子どもまで、しがみついてる。

こりゃあ、乗り方にチョイとコツが要る。それに、アンタは朝日の名刺一枚で大臣にでも会うことができる。こっちはゲリラだ。電話は隠し録り。テープは録る。企業名は出す、商品名も出す。相手が裁判起こすのは覚悟の上だ。フリーはこれだけケンカ腰でなきゃあ、やってけねぇよ。

それに、Kさん、ここに来るのに社旗立てたハイヤーでやって来ただろ。悪いことはいわねえ。およしおよし。今のまんまで頑張れるだけ、やったがいいよ」

なんだか口調がフーテンの寅さんみたいになってしまった。

Kさんは、ただ黙って聞いていた。そして、彼は会社にとどまった。

それで、よかったかどうかはわからない。

二年ほど前、東京新聞に懐かしいKさんの写真と記事。永六輔さんの評伝の紹介だった。連絡すると「すぐに会おうよ」と元気いっぱいだった。

Kさんは髪は真っ白になっていたが、昔の面影はそのままだった。

すでに定年退職していて、朝日では論説委員を務めていたという。なかなかの出世だ。

「オレは、辞める、辞めると何回辞表を出したかわからないよ」とニヤリ。

反骨ぶりはかつてのままだ。もはや、何を書いても自由の身だ。

彼にこそ、この世の〝闇の支配者〟、国際秘密結社イルミナティの暗部を、破邪のペンで思い切り暴いてほしいものだと、わたしは勝手に思い込んでいる。

まずは、第一次、第二次世界大戦を予言、計画したフリーメイソン黒い教皇アルバート・

パイクあたりを俎上《そじょう》にあげてほしいものだ。

しかし、これも一方的な思い込みにすぎないが……。

共同通信の問題児は少年のようなロマンティスト

共同通信・遊軍K記者——劇画にも登場した変わり種

共同通信のK記者は、〝問題児〟であった。

まず、群れない。つるまない。人の言うことは聞かない。……そして、我が道を行く。

いわゆる一匹狼タイプ。それでいて反骨、反権力のかたまりだ。

Kさんは、日消連の記者会見に、焦げ茶の擦り切れたジャケットをはおり、フラリと現れた。目は細く、色白の顔のあごにU字状に黒いヒゲ。一見、無口でとっつきにくい。

しかし、内心は人なつっこくて、案外におしゃべりだ。

彼は日消連の活動を高く評価してくれていた。

高橋君を交えて呑んでいるとき、Kさんが劇画家バロン吉元さんをよく知っていると聞いて、「エーッ」と、大声を上げてしまった。

わたしと同郷であり、九州・小倉から上京し、正義と仁侠で明治の時代を駆け抜ける。

その熱中した『柔侠伝』後書きに、ある人物が推薦の言葉を寄せていた。

やはり、自分以外にも熱烈ファンがいるんだな……。その末尾に「共同通信記者」とあった。なんと、その人こそ、目の前で目を細めているKさんだったのだ。

そして、さらに驚いたことに『柔侠伝』の続々編である『昭和柔侠伝』のスペイン編に、彼自身がキャラクターとして登場！

佐々木小次郎のごとく背中にペンをしょって、ロバにまたがるいでたち。その肩書きは「協同通信記者！」。バロンさんとの友情の熱さ、深さが伝わってくる。

Kさんは会うたびに「船瀬クン、船瀬クン……」と声をかけてくれ、いやがおうでも親交は深まった。わたしより五つほど年上。老境のKさんとは、いまだに交流がある。

彼はかつて、スペインの地でバロンさんと会ったという。

なんでまた、スペインくんだりまで……？　その理由が微笑《ほほえ》ましい。

子どものころ、一本のスペイン映画を観た。題名は『汚れなき悪戯』。一九五五年公開。これは孤児の幼な子マルセーリノが、最後はキリストのもとに召され、旅立つ物語。主題歌「マルセーリノの歌」は、観客の涙を誘い、世界的な大ヒットとなっている。

Kさんもこの映画に、滂沱《ぼうだ》の涙を流した。そして、幼子マルセーリノを演じた少年に会いにスペインまで旅した……という。

この一事をしても、いかに彼が並み外れたロマンティストかがわかる。

「で、マルセーリノに会えたの？」

「うん。ふつうの中年のおっさんになってた」

これには大爆笑。彼の心は永遠の少年なのである。

だから、曲がったことが大嫌い。上司ともしょっちゅう衝突した。言うことを聞かないから遊軍記者のまま。

はやくいえば、共同の問題児。東京本社もどこかに追い出したくてしょうがない。

転勤希望を聞かれて「福岡」といったら、理由を聞かれた。

「気候がいいので家庭菜園をやりたいです」「野菜づくりか！」

呆れた上司が、九州支局に「そちらにKが行く。よろしく頼む」とテレックス。

すると、すぐに、返信がきた。

「ナンノウラミガアルノカ」

超問題児の面目躍如だ。

ピュアなハートの彼は、日消連の記者発表のときは必ずフラリとやってきた。

そして、すべて記事にしてくれた。花王、ライオンの合成洗剤告発や、資生堂などの化粧品告発……。

上司がビビって「Kよ、こんな記事書いて大丈夫か？」というと、「大丈夫ですって。日消連はチャンとしていますから」。

化粧メーカー社長七名を詐欺罪で刑事告発

悪質なサギ犯罪業界だった

当時、わたしが担当して化粧品問題の告発を行っていた。

「女子顔面黒皮症」というおどろおどろしい病名の被害が多発していた。

その原因が、なんと化粧品だった。

美しくなるはずの化粧品で醜くなっている……!

「化粧品一一〇番」を開設して全国の被害を調査した。朝から晩まで電話がなりやまない。

そこで判明したのは資生堂、カネボウ、ポーラなど化粧品メーカーによる犯罪的な詐欺広告である。化粧品の〝効能〟として「肌荒れ、シミ、色黒、にきび、サメ肌、たるみ、小じわ、肌の老化……などを防ぐ」と堂々と女性雑誌などに広告し、テレビCMしていた。

大阪大学医学部・皮膚科部長、田代実博士に質問する。

「化粧品には、これらの効能があるのですか?」

「アッハハ、ぎゃくですよ。クリーム、乳液など塗るから、そうなるんですよ」

あぜんとした。

〝効能〟が、じつはすべて化粧品を塗ることで起きる〝症状〟だったとは!

「それじゃあ、詐欺じゃないですか！」

「ン……まあ、そうともいえますね」

調べると、刑法二四六条では「人を騙《だま》して金品を得る」ことを詐欺罪と定義している。

さらに、薬事法六六条には「化粧品、医薬品の効能効果について明示的、暗示的を問わず虚偽の効能を記述・宣伝・流布してはならない」。

さらに、不当景品類及び不当表示防止法（景表法）四条には「誤認を招く誇大表示を行ってはならない」と明記されている。

つまり、日本の化粧品業界は、上から下まで、詐欺罪、薬事法違反、不当表示、この三つの違法行為を行ってきたのだ。

その結果が全国に多発した、無残な黒皮症の被害女性たちなのだ。

化粧品業界トップを逮捕せよ！

そこで、わたしたちは、化粧品メーカーを刑事告発することを決断した。

俎上に上げたのは、資生堂、ポーラ、カネボウ、マックスファクター……など、大手七社。その代表取締役社長を列記し、「詐欺罪、薬事法・景表法違反の罪状」で、東京地検に刑事告発した。

考えてもみてほしい。資生堂、ポーラ、カネボウ……などといえば、マスコミの超ビッグスポンサー。そのトップ七名を「詐欺罪」等で東京地検に告発したのだ。

つまり、「化粧品業界トップを逮捕せよ！」。

この記者会見に来た記者たちの顔も、さすがにひきつった。

それより、ひきつったのは記事を一目見たデスクの方だろう。

さらに、社の幹部はヒキツケを起こしたことだろう。

そういうわけで、この前代未聞の化粧品業界トップ逮捕要請の記事は、ほとんどの社で握りつぶされた。しかし……それでも、記事にした二社があった。

それが、毎日と共同である。わたしは、毎日の記事を書いたのは先述のT記者だと記憶している。そして、「日消連、化粧品七社を刑事告発」という見出しで配信してくれたのが、やはり先述の共同のKさんなのだ。

今でも人にこの一件を話すと「よく思い切ったことできましたね」と驚嘆される。

驚く方がおかしい。

このような巨大サギ犯罪を大手企業が白昼堂々と行ってきた事実こそを驚くべきなのだ。

その被害総額は、当時でも年間約二兆円と見積もられる。

そして、この化粧品サギ商法は、今でも、テレビCMや雑誌広告などで、巧妙に手を替え、品を替えて横行している。

朝日名物記者と『ほんものの酒』騒動の顚末

朝日新聞・編集委員、「朝日の良心」石川真澄さんからの取材電話

石川真澄さんは、かつての朝日の良心だ。

中元、歳暮の類いは、すべて送り返した。

知るひとぞ知るエピソードである。一記者として清廉を貫き通した。

その名物記者と、ひょんなきっかけで出会うことになった。

日消連のある昼下がり。一本の電話。

若い女性スタッフが取って、「船瀬さん、朝日の石川真澄さんから電話よ」。

受話器を取る。用件は彼が担当しているコラムに登場してほしい、という。

「ハイ、いいですよ」

受話器を置く。すると、女性スタッフが「石川真澄さんから取材なんて、スッゴーイ」。

残念なことに、それまでお名前を存じなかった。

「えーっ、知らないんですかぁ！　経済記者で有名ですよ」

いやいや……。これには参った。

電話の内容は次のようなものだった。

「あなたが船瀬さん？　『ほんものの酒を！』書いた方？」。ハイ……。「これ面白いねぇ！　ぼくのコラム『私の言い分』に出てくれない？」。ア……いいですよ。

酒の世界の五悪六悪！


話は、さかのぼる。

日消連は、女性向けの運動テーマに化粧品をとりあげた。皮膚感覚で、消費者問題にめざめてほしいという願いがあった。

では、男性軍へはどうだ？　そこでターゲットにあげたのが。お酒だ。

この話題なら、多くの呑んべえたちは関心を持つだろう。コミュニケーションならぬ飲ミニュケーションの場でも、話題になって大いに盛り上がるだろう。

それでなくても、日消連では代表委員の竹内さん以下、飲みスケぞろい。

だが当時、日本の酒はヒドいものだった。

純粋に米のみで作った純米酒など、一〇〇銘柄のうち一つしかなかった。

酒業界にはそのころ、「五悪」「六悪」が横行していた。

それは――。
①三増酒（三倍に薄める）、②アル添（アルコール添加で増量）、③糖添（砂糖、水飴を足す）、④添加物（味の素、合成乳酸など）、⑤級別制（特級・一級はサギ表示）、⑥オケ買い

（下請けの酒に有名ラベル）

ちなみにウィスキー、ビール、ワインなど洋酒もデタラメ、ペテン酒が溢れていた。

サントリーオールドは「化け物ウィスキー」

わたしたちは日本の酒を徹底的に調査していった。

日消連には内部告発が数多く寄せられた。

その一つにサントリー山崎工場の各製品「配合表」があった。

その青焼き図面を見て、身がふるえた。「オールド」から「赤玉ポートワイン」（果実酒）まで、成分表と比率が克明に記されていた。まさに超一級の内部資料だ。

それを分析して呆れた。

たとえば「サントリーオールド」。当時は、年間に一億二〇〇〇万本以上売られていた。まさに、空前の大ヒット商品だ。そのCMが絶妙だった。低い男性スキャットで「ランラ、ラ、リラリラ……」という歌い出し。わたしは今でもすべて歌うことができる。

CMソングとしては大傑作だ。しかし、「オールド」本体は、そうはいかない。

まず「赤玉ポートワイン」には合成香料から合成色素まで、添加物だらけ。そして「オールド」には、この添加物エキスの「果実酒」を潜ませている。合成添加物を仕込む〝裏技〟だ。つまり、「オールド」は添加物まみれ。化け物ウィスキーだった。

さらに、「原酒」（モルト）も日本の酒税法では「熟成期間」は定められていない。

これに対してスコッチ・ウィスキーは、最低でも「三年」熟成しないと、スコッチとして出荷できない。違反すると厳しいペナルティが科せられる。

さて――。この調査・取材では一つ、救いもあった。それが、エビスビールである。

当時、世界でもっとも厳しいビール品質基準は、西ドイツ「ビール純正法」であった。

「麦芽、ホップ、水、以外を加えたものはビールと表示してはならない」

当時、日本のビールは、全滅であった。唯一の例外がエビスだった。

エビスはかつてローカルブランドだった。それをサッポロが買収した。

しかし、売り上げ比率は一％を切り、サッポロはエビスの販売休止を決定していた。

そのエビスこそ、西ドイツビール純正法をクリアした唯一の国産ビールだったのだ。

『ほんものの酒を！』カンヅメ執筆

そのとき竹内代表委員からわたしに命令が下った。

「船瀬、ちょっくら酒の本を書けや。またヒット頼んますゾ！」

それには前例があった。「化粧品一一〇番」などを受け、わたしは『あぶない化粧品』（三一新書）を書き上げた。それは、なんと約一五〇万部の空前大ヒットとなった。

続編、続々編を加えれば二〇〇万部を突破したのではないか。

その印税はすべて日消連の活動費に回した。

さて、代表の命を受けて、私は千葉・八日市場のひなびた旅館にカンヅメになった。まだ三〇歳だった。宿の離れにこもってひたすら書き続けた。当時から自分にノルマを課していた。「一日ペラ六〇枚」。ペラとは二〇〇字詰め原稿用紙だ。使ったのは一番安いモンブラン万年筆。ノルマ達成までは絶対寝ない。そう決めて机にかじりついた。

旅館のおかみさんが様子を見にきた。

そして、睡眠不足の青い顔で見上げるわたしを見かねてこう言った。

「船瀬さん、わたしがあなたのお母さんだったら、絶対やめさせるわよ……」

それでも、フラフラになりながらも六〇〇枚を書きあげた。

モンブランのペン先は、カミソリのように薄くなっていた。

「エビス命脈保つ」一通の礼状

タイトルは『ほんものの酒を！』とした。副題は「あなたはニセものを飲んでいる」。

最初は、タイプ印刷の小冊子。

表紙もわたしがイラストを描いた。これも経費節約である。

『あぶない化粧品』同様、すべて自分で編集、レイアウトした。

この本は、告発だけではない。称賛もある。

それが、エビスビールだ。わたしは「エビスのすすめ」という一項を設けた。

「ここに、ほんもののビールあり。君よ、エビスを飲もうではないか！」

その後の反響は絶大であった。エビスの売り上げは一％、二％……と右肩上がりに急速に伸びていった。そして、ある夜、サッポロビールの重役たちが、黒塗りの社用車でわが下宿アパートを訪ねて来た。あいにく、わたしは日消連で遅くまで仕事をしていて不在だった。

大家の奥さんに託された手紙にはこうあった。

「お陰でエビスは命脈を保つことができました。今後とも、良いものは良い、悪いものは悪いと叱咤《しった》、ご鞭撻《べんたつ》のほどをお願いいたします。広報部長〇〇〇〇」

昔の企業は……なんとも粋《いき》なことをするものである。

小冊子、全国から購入希望殺到

さて——。

朝日記者・石川編集委員からの取材依頼とは、この『ほんものの酒を！』タイプ版が、どういう経緯か、名物記者の手元に届いていた……というわけだ。

築地の朝日新聞本社に出向いて圧倒された。床から壁まで、すべて大理石仕上げ。まるで高級ホテルのようだ。「これに比べたら日消連は、ニワトリ小屋だな」、ひとり苦笑した。

初対面の石川さんは、一目でわかる柔和な方だった。

「僕も真澄でしょう。だから、信州の『真澄』が大好きなんですよ」

きさくに声をかけてくれる。大きなラジカセのスイッチを入れて取材開始。質問されるまま、『ほんものの酒を！』に書いたままを答えた。

わたしは「小さな囲み記事にでもなるのかな」と思っていた。

しかし、翌日の朝日夕刊を開いて度肝を抜かれた。ほぼ半ページ分。ぶち抜き記事。わたしの口ヒゲ、メガネ顔がはみ出るほどのドアップ写真。そして「あなたはニセモノを飲んでいる」の見出し。衝撃を受けたのはまず読者だろう。

翌日から日消連事務局は、てんやわんやの郵便パニックに襲われた。

「酒」小冊子を求める書留郵便が殺到したのだ。配達員は、なんと二〇キロはあろうかと思える郵袋を引きずって来た。

笑止「ニセモノ酒を本物に近づけるのがロマン」とは⁉

抱腹絶倒の後日談

この記事に、腰を抜かしたのは酒業界であった。

まず日本酒業界。今までひた隠しにしてきた「五悪」「六悪」がすっかりバレてしまった。

その後、石川さんから電話があった……。

「その後の業界の対応をお話しします。あなたにお伝えする義務がありますからね」

まさに、石川さんらしい誠実な対応だ。以下、酒業界の珍対応の顛末である。

「……あの記事が出て、社内でも大変でした。社長から呼ばれてね。

そこで『船瀬さんの言っていること、わたしの記事に間違いがあれば、すぐに訂正記事を書きます』といったら『いやいや、酒造組合の面々が君に会いたいというんだ。受けてくれるかね』。

『ハイ。しかし、わたしの席料は会社でもって下さい。相手の支払いだったらわたしは出ません』

『わかった、わかった』

で、出ることに。場所は銀座の高級店でしたよ。顔を出すと、組合幹事の月桂冠をはじめ、名だたる大手酒造がズラリ。

そこで、やはり、わたしは『記事の間違いがあるのなら指摘して下さい』と切り出した。

すると『船瀬さんの言っていることは、すべて本当のことです』という。

『なら、わたしがここに来る意味はないじゃないですか』

『まあ、わたしどもの言い分も聞いて下さい』と始まった。

『なるほど、日本酒には水アメ、砂糖、アルコールさらに化学調味料、乳酸、こはく酸などが入っています。しかしですね。石川さん、そうして、少しでも〝本物〟に近づけるのが、現場技術者のロマンなんですよ』」

……ここまで聞いて、あきれ果てて思わず噴き出した。

「なら、本物を作ればいいじゃないですか！」

石川さんも続ける。

「わたしも、まったくその通り言いました。すると、相手は……黙り込んでしまった」

いやはや、これが日本の飲料・食品業界のお粗末な実態だったのだ。

しかし、本物に目覚めた消費者をだますことは、もうできない。

『ほんものの酒を！』は三一書房から新書判で刊行されるやベストセラーとなった。

勇気づけられたのが、地方の名酒蔵である。そこから優良な地酒ブームに火がついた。

その品質向上の勢いは、火付け役のわたしですら、驚嘆するほどだ。

もはや全世界で、〝SAKE〟は、極上ワインをも凌《しの》ぐ人気だ。

世界の愛好家は最高級発酵酒として賛辞を惜しまない。

わたしは夢のようだ。今や至高の美酒を芳香とともに味わうことができる。

そのとき、礎《いしずえ》として地道な市民運動があったことを、一瞬でも思い出してほしい。

高潔な一記者が、介在していたことを知ってほしい。

石川真澄さんが、この世を去って、ずいぶんたつ。

それでも電話での第一声「石川です！」の快活なお声を思い出すことがある。

「記事は〝潰す〟」電通の恐怖

後日談として、一つ書き添える。

それが、他マスコミの対応だ。この酒騒動を『週刊新潮』が追った。

取材に最大手の広告代理店・電通の関係者が、こう答えている。

「あの朝日記事は、われわれも盲点だった。普通なら掲載を止めてますよ。だけど、二度とあのような記事が出ることはない」

なんとも、恐ろしいコメントではないか。

つまり、電通はすべてのメディアを事前にチェックしている……ということだ。

わたしの先輩作家Sさんは、大学を出てから一時期、電通に勤務していた。

そのときの担当が、創価学会だった。仕事は、なんと毎日毎日、学会に関する記事の事前チェック。新聞や週刊誌、月刊誌など、ゲラ刷り段階で入手して、学会批判の記事をチェック。そして〝潰す〟のが業務だった、という。まさにスパイ検閲だ。

Sさんは嫌気が差して退職、コミック原作者として大成している。

電通の別名は〝D・CIA〟だ。背後には、さらに本物CIAが潜んでいるのは、まちがいないだろう。

最後にもう一つ――。

『ほんものの酒を！』が出た後サントリーは超ヒット商品「オールド」の販売を中止した。

「受信料払っちゃダメ！」NHKのオバちゃんは怒った

NHK文化部ディレクター・Iさん「NHKはオカマの腐ったヤツばかり」

Iさんは、NHK内でも知らない人はいないほどの名物ディレクターだった。

わたしより一〇歳年上。早大文学部出だから大学の先輩にもあたる。初めての出会いはラジオ取材を受けた時。場所は忘れたが、わたしを探しまくっているカン高い声が聞こえた。

「……アラ、こっちじゃないわ、あっちよ！」

そして、マイクを持った女性アナと目の前にドタバタと現れた。派手派手のアロハシャツ。小太りでチョビヒゲ。笑顔がじつに悪戯《いたずら》っぽい。それが長い付き合いの始まりだった。

彼のあだ名は〝オバちゃん〟。局内でもそう呼ばれていた。

彼もNHK内では、超問題児だった。なにしろ、話すときには歯に衣《きぬ》着せない。思ったことは、相手が誰だろうと、ズバズバ言う。しかも、それをオカマ言葉で発するのだ。

だから、相手は苦笑いするしかない。

だが、見かけはナヨナヨしているようでも、中身は意外に硬派である。

そして、最後にこう付け加える。

「アラ、言いたいこと言っちゃって、ゴメンナサイ。ウフフ……」

あるとき、Ｉさんは顔をしかめながら、吐き捨てるように、わたしに耳打ちした。

「ＮＨＫって、オカマの腐ったようなヤツばっかりよッ！」

……これには、笑うしかない。

ビアフラ海のタコが聴いてる

しゃべり方はオカマ風だが、才能、センスは抜群だった。

ＮＨＫスタジオに遊びに行ったとき、「これ評判よかったの。聴いてみる？」。

彼は、そのときラジオに〝飛ばされていた〟いた。

番組タイトルは『ノイジー・ジャパン』。

知人の日系アメリカ人教授と、日本各地を歩いて、「うるさいニッポン」に呆れるというドキュメント。

たとえば、喫茶店で音楽が大きいのでボリュームを下げてと頼んだら、ウェイトレスから「うちのポリシーです」と反撃される。タクシーに乗るとラジオから競馬中継。切ってくださいと頼むと「聴いてんだよ！」とにらまれる。それを、隠し録り。

日本社会の一面を、皮肉とユーモアたっぷりに切り取った傑作だった。

この才気を大舞台で発揮してもらいたいと、心底思ったものだ。

ところが、オバちゃんは上司であろうと役員であろうと、遠慮なく激突する。

うとまれて、ついには海外部に〝飛ばされて〟しまった。海外向けのＮＨＫ放送だ。

どんな内容なの？　と聞いたら、自嘲ぎみに答えた。

「太平洋の海原《うなばら》が聴いているわヨ」「ビアフラ海のタコが聴いてるのヨ」

このユーモアのセンス！　だから、俳優、タレントなどにも、その〝姉御肌《あねごはだ》〟を慕っている人が多かった。売れ出した頃のおすぎとピーコにはこう説教したという。

「……アンタたち、最近、調子に乗ってんじゃないわヨ」

〝ニンニク臭い〟モーツァルト！

しかし、事なかれ主義のＮＨＫは、Ｉさんの希有な才能を生かしきれなかった。

彼も、そんな職場に嫌気が差していた。

詩文や音楽に関しても一家言あった。その批評眼は実に的確だった。

当時、Ｉさんが衝撃を受けた一人のバイオリニストがいた。それが韓国の新星、チョン・キョンファ。その演奏は、従来の上品にすましたクラシックの概念を突き破るものだった。

まさに、鬼気迫るという情念があった。

この魅力に熱狂したIさんは上司に、NHK交響楽団（N響）とのジョイントを熱心に持ちかけた。すると、上司から出た言葉は……。

「I君、あんな〝ニンニク臭い〟モーツァルトを誰が聴くかねぇ」

この一言に、彼は逆上した。

「わかりました！　なら、アタシが呼びます」

なんと、彼は私財をはたいて音楽プロモート会社「OBA」を立ちあげた。社名は、彼の愛称からとったのは、いうまでもない。会社設立の目的は、ただチョン・キョンファを日本に招聘《しょうへい》するためだけ。彼は単身、韓国に飛び、キョンファのお母さんまで説得した。

その熱意に感動したキョンファは来日を確約。こうして、コンサート会場の上野の音楽堂は満席の熱気に包まれた。

Iさんはその後、何度もキョンファの単独演奏ツアーを企画し、すべて大成功を収めている。彼の奔走《ほんそう》と熱意で、〝情念の女性ソリスト〟の名声は、世界に響き渡ることになった。

別荘と妾は持つまでが楽しい

Iさんは自分の感性に忠実に、自由奔放に生きた。

悪戯っぽい笑顔とオネエ言葉。それも、ホンネを貫き通すカモフラージュだったのかもしれない。

あるとき、本気でこう言い放った。

「NHK受信料、絶対払っちゃダメよ！」

当のNHKディレクターが、ムキになって言うのだ。戸惑っていると、

「集金が来たら、こう言ってやんなさい。アラ、電波止めてください。迷惑してんだけど」

わたしは苦笑いで応じるしかない。すると、また、顔を寄せてこう言う。

「アイツら、こうでもしなけりゃ、わからないわヨ」

そのIさんが定年退職した。奥様に聞くと、伊豆の山奥に別荘を建てて、そこで陶芸をしている、という。あのIさんが……!? あれほどけたたましかった人が……。

躁《そう》から鬱《うつ》になったのかしら？

少し、心配になった。音信が途絶えてから十数年。あるとき、電話がヒョイとかかってきた。海外旅行で代理店にヒドイ目にあったから、とっちめてやりたい、という。

反骨ぶりは顕在だった！

「今も伊豆の別荘にいるんですか？」

すると、こう答えたのだ。

「……別荘と妾は、持つまでが楽しいのヨッ！」

ぶっ飛んだユーモアも健在！　それから、ほどなくして訃報が届いた。

好きな旅の途上、海に入って泳いでいた。そして、遺体で発見されたという……。

七時NHKニュースに合成洗剤CMが流れた！

NHK社会部・池上彰氏「合成洗剤は毒物、ボクたちは応援しますよ」

若き日の池上彰氏との出会いも忘れがたい。

マスコミ各社に日消連の記者会見の案内を出す。

すると当日、物静かな若い記者がやってきた。

「NHK社会部の池上です」。名刺には、「池上彰」とある。

彼はわたしと同い年で、すぐに意気投合した。出身は慶応という。無口なところが、わたしと正反対だった。まさに、早慶だ。彼も社会部の新人記者としての気概にあふれていた。

中目黒の飲み屋で呑んでいると、身を乗り出してこう言った。

「NHKは、自分で火を付けるわけにはいかないけど、日消連が火を付けて煙を上げてくれれば、ボクたちは応援しますよ！」

これは、心強かった。そして、その言葉に偽りはなかった。

当時、日消連では、洗剤問題に取り組んでいた。

日消連での、わたしの最初の著作が『合成洗剤はもういらない』（三一新書）だ。

合成洗剤から、せっけんへ――。

これが、当時の消費者運動の共通スローガンだ。なぜ、合成洗剤追放なのか……？合成洗剤の主成分ＬＡＳ（リニア・アルキルベンゼン・スルホネート）などは有毒物質である。

時の自民党政府（科学技術庁）ですら、「合成洗剤は中程度の毒物である」と公式に認めている。

一〇〇万トン毒物が川や海に

だから、「ザブ」や「ママレモン」など、洗たく用、台所用を問わず、さまざまな人体被害の苦情が寄せられていた。

また、三重大学医学部の坂下博士などが中心となって、その毒性の解明も進んでいた。手荒れ、湿疹、急性毒性、肝臓障害、さらには催奇形性《さいきけいせい》……などなど。

さらに、排水が川や湖に流れるとミジンコなどプランクトンが絶滅し、水草や魚には奇形が多発した。こうして、自然な水の浄化機能が破壊され、水質汚染も悪化していく。

なにしろ、毎年、約一〇〇万トンもの合成洗剤という名の〝毒物〟が川や海にたれ流されていく。

それにくらべて人類が古来から使ってきた「せっけん」（脂肪酸ナトリウム）は、汚れ落ちは合成洗剤より優れ、おまけに人体、環境にはまったく安全だ。

性能がよく、安全なら、「せっけん」を使うべきだ。じつにシンプルな発想である。

ところが、当時、次のようなテレビCMがさかんに流されていた。

「ザブで洗ったら、泥ンコ汚れも真っ白！」「泥ンコ汚れに強いザブ！」

なるほど、泥で汚した洗たく物が、次のシーンでは真っ白！

ウーンとうなってしまった。

「泥汚れには、洗剤はスゴイなぁ……」

出演タレントの証言「あれは新品ヨ」

ところが、ひょんなきっかけで、洗剤CMに出演した女性タレントに出会った。

疑問に思ったことを尋ねる。

「あなたがCMで広げて見せた洗たく物、真っ白だけど、どうやって洗ったの？」

「エーッ！　あれ、新品よ」

こんどは、こちらが驚く番だ。

「エエ……じゃあ、あれ、すり替えてるの？」

「あったりまえじゃない。コマーシャルの常識でしょ！」

絶句とは、このことだ。

泥で汚した洗たく物のカットの後は、新品を映して「こーんなに真っ白！」とやっていたわけだ。

「ほかでも、みんなやってるわよ」

ナルホド、〝スリカエ〟はCMの常識なのか。


泥ンコ汚れは全く落ちない!


そこで真相を解明することにした。

まず、中目黒のダイエーから紳士用下着シャツを一〇着ほど買ってきた。日消連の事務所が間借りしていた教会のチューリップ花壇の泥を水でねって、米の字状に汚れを付ける。

そうして、各種の市販合成洗剤を購入して、じっさいに洗たく機で洗ってみた。

その結果はサンタンたるものだった。まったく、泥汚れは落ちない。

洗剤CMは、やはり新品とすり替えている! はっきり確信した。

各社に公開質問状を出した。

——「御社の洗剤CMは、新品とすり替えているのでないか?」

その回答には珍回答が続出した。

たとえば、P&G社。そのCMは「ザブ」や「ワンダフル」より悪質だ。

「泥汚れのズボンをこうして一回結びます。それを、水、ぬるま湯、お湯で洗ったら……」。画面には「水」「ぬるま湯」「お湯」と書かれた洗たく機。登場した司会者が「P&

Gで洗ったら、水でも、ぬるま湯でも、お湯でも、結び目まで、こーんなに真っ白！」と大仰に驚いて見せる。

同社・広報部長からの回答文。「CM制作の現場で、そのような〝すり替え〟は、断じて行っていない、と〝確信〟しています」。もはや、笑うしかない。

NHK画面に突然洗剤CM

これら「タレント証言」「商品テスト結果」「各社回答」の〝証拠〟を固めて、記者会見の案内を出した。テーマは「洗剤CMはインチキだ！」。

マスコミ各社が詰めかけた。なかでも活躍したのがNHKの池上彰さんだ。彼の指示のもと、取材カメラが、わたしたちに張り付いた。わたしの記者発表や公正取引委員会（公取委）への申し入れなどもカメラは追った。

さて、夕方。日消連スタッフ全員が、テレビの前に集合した。注目は七時のNHKニュース。一同、固唾《かたず》を呑んで見守る。

画面には時計が映り、秒針がプップップーン。音楽とともにNHKニュース・タイトル。次の瞬間、全員、アッと声をあげた。なんと、快活なメロディとともに、「泥んこ汚れに強い××！」と、お馴染みの洗剤CMが流れた。一同呆気にとられた。

つづいて画面は、あの松平定知キャスター。「突然、合成洗剤のテレビCMで驚かれたこと思います。実は、本日、日本消費者連盟がこれら洗剤CMは不当表示である、と公正取引委員会に告発を行いました」

画面には、汚れ落ちの悪さなどを解説する記者会見でのわたしの姿も。さらに興味深いのは、NHKのカメラは最大手の花王を直撃している。

「日消連は、これらCMは〝すり替え〟だ、と告発していますが……」

広報部長は困惑の表情であごをなでなで、こう答えている。

「撮影現場で……すり替えてはいない……と、思いますよ」

P&G同様、噴飯《ふんぱん》ものの珍回答だ。

この告発記者発表のあと、洗剤〝すり替え〟CMは、ピタリと姿を消した。

それも、NHK社会部・新人記者、池上彰さんのおかげだ。

七時のNHKニュースの冒頭に、洗剤CM……！

今では、絶対に考えられない。それだけ、まだメディアにも正義感と熱気があったのだ。

突然、『週刊こどもニュース』に配転

……それから秋も深まる一〇月頃だと思う。

突然、日消連事務所に池上さんから電話があった。

「船瀬さん……オレ、配転が決まったんだ」

「エッ！　どこに？」

「テレビに行け、というんだ」

時季外れの突然の辞令に驚く。配転先は、なんと『週刊こどもニュース』。それで、チャンネルを合わせてみた。生放送だと思うが、池上さんが二人の子どもに、汗をふきふきニュースを解説している。すぐに電話した。

「……なかなか、いいじゃないですか」

「オレ、しゃべるの苦手だから、社会部に戻してくれと、毎日、上とかけ合ってんだよ」

そこで、ピンと来た。

ははん。これは、あの洗剤CMなど一連のニュース報道に絡むイヤガラセだな。

我々も驚いたくらいだ。花王、ライオン、P&Gなどメーカー各社の仰天ぶりが目に浮かぶ。まさに驚天動地だったはずだ。一体、誰がやったんだ？　NHKの池上記者です。ケシカラン、飛ばせ！　そのやりとりも目に浮かぶ。

それで、口下手でいちばん苦手な部署に送り込んだ。

これなら、アイツも嫌気が差してNHKを辞めるだろう。

ところが、上層部のもくろみは外れた。なにしろ、生真面目一途の気性だ。職人気質の一面もある。子ども相手に、いかにニュースを懇切にわかりやすく語るか。

日々、研鑽努力を重ねるうちに、ついには語りの名人になってしまった！

石の上にも三年という。子どもニュースを担当するうちに、あの池上節が完成したのだ。

そして、その後の活躍ぶりは、あえて記すまでもない。

まさに、これもまた……塞翁が馬である。

テレビ画面の姿を見る。

ふと、中目黒の居酒屋で杯を交わしたひとときを思い出すことがある。


——以上。

わが青春の時代に出会った、忘れがたき記者たちである。

彼らは、社の上層部からの理不尽な弾圧に、抗《あらが》い、唇をかみ、挫折し、それでもジャーナリストの本分を果たそうと、もがきにもがいて、必死に生きていた。

彼らのペンを封じ、口を抑えてきたものとは、いったい、何であろうか？

わたしは確信する……。

日本に報道の自由はない。そして、その真実すら国民は知らない。

それは、一見のどかな牧場に飼われる家畜と同じである。

いつかは、その命を奪われる運命にある……。

いったい、われわれを〝飼っている〟のは何者たちなのだ？

しかし、だれひとり、〝かれら〟の悪意に気づいていない。
この黒い存在を……これから暴いていこう。

【第二章】

電磁波、リニア、5G、書けないことだらけ

――「言えない」「流せない」絶望の日本メディア

「他社が書いてないから書けません」

スクープを忘れた新聞

第一章で紹介した私の友人、知人のジャーナリストたちは、圧迫、制約のなかでも、なんとか真実を伝えようとしてきた。だからこそ、彼らは苦しみ、悩んだのだ。

しかし、すべてが、このように真摯《しんし》な記者ばかりとは限らない。

「出る杭は打たれる」「長い物にまかれろ」……。

多くの記者のあいだにも、そのような無気力な気分が蔓延《まんえん》している。

ひとつの例をあげよう。

もう三〇年ほども前の話だ。

私が会った一人の記者Nさん。まだ二〇代の大手新聞記者と顔なじみになった。「何かネタないですかねぇ」……と私に聞く。そこで一考、一つ思い出した。

私は食品問題を調べていたのだが、しょうゆの製法を記した専門書の一部に目がクギ付けになった。そこで、しょうゆには「家庭用」と「業務用」があることを知った。

目を引かれたのは「業務用」の製造工程図だ。

そこには、原材料が明記されていた。そこに「人毛」とあってギョッとした。

つまり、人の髪の毛が原料のしょうゆ……!?

都市伝説どころではない。ちゃんと専門家向けの食品工業テキストに明記されている。解説を読むと、この「毛髪」を薬品で処理してアミノ酸にして、しょうゆの原料とするという。俗にこれは〝アミノ酸しょうゆ〟と呼ばれている。

しょうゆは発酵食品のはずだ。

しかし、食品工業の裏側では、こんなおぞましい作業が行われていた。

「**無理っす。どこも書いてないから**」

そういえば、こんなクイズを聞いたことがある。

理髪店に毎日、ある業者がやってくる。「コンチワ!」

床に落ちた髪の毛を回収していく。

さて——この業者の職業は? カツラ屋さん、人形製造業、佃煮《つくだに》屋さん?

正解は、佃煮の原料! かつて耳にして、マサカと思っていた。しかし、それは真実だったのだ。業務用アミノ酸しょうゆ原料の一部に、人毛が使われている。

使えるものなら、人体の一部でも使うのか?

かつてナチスはユダヤ人を処刑後、その脂を使って石鹸を作ったという。

毛髪原料のしょうゆ。まさにアウシュヴィッツまで、あと一歩である。

大手新聞がこの〝人毛しょうゆ〟の存在を書けば、センセーショナルな反応を引き起こすだろう。世論も沸騰、おぞましいニセしょうゆも、地上から消えるはずだ。

期待をこめて、N記者にこの話をした。証拠となる食品工業テキストも示した。

最初、彼は目を輝かせて「ほんとですか！　スッゲー」と興奮気味。

ところが、ふとわれに返った。

「あれ。船瀬さん、これヤバイっすよ。ちょっと無理ですよ」

「エッ、どうして？　超面白いネタだろ」

「無理っす。だって、まだどこも書いてないから」

私は、ズズッ……と、のけぞりそうになった。

この記者は、スクープという言葉も知らないのか！

他紙が書いてないから、書けない……よく、こんな言葉が口から出てくるものだ。

それ以来、わたしは日本の大手新聞を見放している。

朝日記者「電磁波？　ウチは書けないんですよ」

さらりと言った若手記者

若いマスコミ記者は、ジャーナリストとしての誇りも失っている。

わたしは、ある案件で朝日の取材を受けたことがある。

担当のI記者は、三〇代半ばくらいだった。

たまたま、私の著作に話題が移ったとき、著作一覧をのぞきこんで、I記者は感心した。

「へえー、船瀬さん、電磁波の本こんなに書いてるんですね」

「そうだなあ。一〇冊以上は書いているかな」

それを聞いた彼の発言には耳を疑った。

「朝日は、電磁波問題、書けないんですよね」

あんまり、さらりと言ったので、あぜんとした。まったく、悪びれたふうもない。

二の句がつげず、彼の顔を見つめた。平然としているので、こちらの力が抜けた。

かつてのわたしの友人記者たちだったら、少なくとも悔しそうに吐露《とろ》したはずだ。

そんな、気概も矜持《きょうじ》も若い記者たちからは、失われてしまっている。

タイミングを逸したが、彼らを「このボケッ!」と一喝してやりたい。

頭を丸めて謝罪に来た記者

以下は、携帯中継塔をめぐるマスコミ取材の顛末《てんまつ》……。

「電磁波は書けません!」と、朝日の記者が頭を丸めてきて謝罪したという。

ジャーナリスト黒藪哲哉氏が、その実態を告発している(『あぶない!あなたのそばの携帯基地局』共栄書房)。

朝日は、かつて携帯電話・中継塔からの電磁波問題を追っていたこともある。

二〇〇六年夏ごろ、大阪・川西市で記者は住民一人ひとりに取材で回っていた。

中継局からの電磁波被害に苦しんでいた住民は、朝日の追及記事に期待していた。

ところが不可解なことに、取材はピタリとやんだ。

そしていっさい、記事になることもなかった。見えない〝圧力〟で企画自体が潰されたのだ。担当記者は、その後、「スミマセンでした」と住民に謝罪に来たそうだ。

住民は、その姿を見てあぜんとする。なんと、頭を丸めている。彼には良心のカケラはあったのだろう。企画を潰した〝上からの圧力〟に忸怩《じくじ》たる思いがあったのだろう。

住民もその姿にこう語っている。

「あれだけ情熱をもって熱心に取材されたのに、報道できなくなって残念だろうな、と思いました」

左遷、退職に追い込まれる

さらに、ゾッとする話もある。

電磁波問題関西連絡会副代表・吉本公蔵氏の証言だ。

「二〇〇七年を境に、(朝日新聞の電磁波)報道が極端に少なくなりました。この問題を取

材していた新聞記者が左遷されたり、退職に追い込まれた、という話もいくつか聞いています」(前出書より)

この朝日の変節の理由もすぐに判った。二〇〇八年、同社はテレビ朝日とKDDIと共同で、携帯電話ネットワークに参入。以下のように事業内容を発表している。

「……三社は、au携帯電話ネットワーク上において、新聞、テレビ放送と連携した新しい情報配信サービスを、来夏、(情報)提供開始を目標に共同開発します」(発表声明)

なんと、朝日新聞は、携帯電話の〝事業主〟になってしまったのだ。

しかし、だからといって「電磁波問題は書けない」とは、スジが通らない。

「危ないものは危ない」のだ。事業主なら、それをより安全に提供する義務がある。

「携帯基地局の電磁波には、これだけ健康への害があります。それを、なくす方向で努力いたします」と紙面に書いて、読者に伝えるのがメディアの責務だ。

「当事者だから書けません」では子どもの言い訳でしかない。

メディアは飼い犬、読者はサル……?

しかし、「臭い物にフタ」で、新聞・テレビの電磁波報道は完全タブーになってしまった。

基地局周辺住民の健康被害も、黙殺されてしまった。

「……住民は深刻な健康被害を受けている。これは法的人権問題である」

二〇一〇年、日本弁護士連合会（日弁連）は、携帯基地局「電磁波被害」シンポジウムを開催して訴えた。しかし、報道したのは神奈川新聞と琉球新聞の二紙のみ。大手マスコミは完全黙殺である。

わたしは『ショック！やっぱりあぶない電磁波』（共栄書房）でこう断じた。

「マスコミはスポンサーという名の巨大企業の〝飼い犬〟と化していく。知らずに購読している庶民大衆もまた、〝サル〟なみの知性に堕ちていく……」

電磁波は最大タブー〝最後の公害〟だ！

恐るべき二〇大健康被害

電磁波問題は〝最後の公害〟と呼ばれている。

それは、メディアにとってもタブーだからだ。

私は『あぶない電磁波』を皮切りに、電磁波告発の本を数多く執筆してきた。

おそらく、世界でこれほど電磁波批判の本を書いてきたジャーナリストはいないはずだ。

その中でも特筆すべきは『クロスカレント』（新森書房）だ。これは、世界的な電磁生態学の権威ロバート・ベッカー教授（ニューヨーク州立大）の著作を翻訳したものだ。

そこで、教授はこう断言している。

「周波数にかかわらず、いかなる不自然な人工電磁波も有害である」

その有害性は一〇点あげられる。

①成長細胞阻害　②発ガン性　③ガン促進　④催奇形性《さいきけいせい》
⑤神経ホルモン混乱　⑥自殺・異常行動　⑦生理リズム破壊
⑧ストレス反応　⑨免疫力低下　⑩学習能力低下

――なぜ、電磁波でこれらの症状が発生するのか？

その原理は「サイクロトロン共鳴」と呼ばれる。電磁波は電気と磁気の〝波〟である。

それが、イオンなどの荷電粒子《かでんりゅうし》に当たると、粒子はラセン運動を起こす。

つまり、電磁気エネルギーが運動エネルギーに転換したのだ。

それにより遺伝子や細胞が破壊される。こうしてガンや奇形が発生する。さらにホルモン、精神、免疫の異常などが引き起こされる。

電磁波強度はガウスで表される。

「電気器具からの安全基準は一ミリガウス（mG）。居住地は〇・一ミリガウスです」（ベッカー博士）

ちなみに、電波など高周波の単位は、mW／㎠である。博士は、安全基準を〇・一mW／

㎠としている。

「しかし、これ以下で安全というわけではない。利益と危険を考慮した妥協値なのです」(同博士)

四ミリガウス超で小児ガン五・六倍

低レベルの電磁波を浴びただけで子どものガンは五〜六倍に急増する。

その決定的データが「ノルディック報告」である。

それは、北欧三カ国(スウェーデン、デンマーク、フィンランド)の合同研究である。

決定的な疫学調査として国際的に高く評価されている。

いずれも一ミリガウス以上にくらべて四ミリガウス以上では、①白血病＝六倍、②脳しゅよう＝六倍と激増。③悪性リンパ腫は一ミリガウス以上でも五倍だ。そして、三腫瘍の平均値は五・六倍(『ランセット』誌、一九九五年一一月号)。

ここで注目して欲しいのは一〜四ミリガウスという値だ。

これは、高圧線や電気器具などでも浴びてしまう強度である。

ちなみに、来日した国際的な環境ジャーナリスト、ポール・ブローダー氏は、日本の住宅が垂れ下がった高圧線の下に軒を連ねている光景を見て絶句していた。

「……こんな光景は初めて見た！　きわめて危険だ」

ベッカー博士も「高圧線などで室内が一〇ミリガウス以上あったら、すぐに引っ越すこと。子どもには危険すぎる」と警告する。四ミリガウス超で五～六倍もガンになる。

一〇ミリガウス超は、まさに狂気の数値なのだ。

しかし、そんな高圧線下の危険な住宅に、何も知らずに住んでいる家族はあまりに多い。

無知の悲劇の元凶は、メディアの沈黙だ。

ＩＨ調理器で流産五・七倍

電磁波被害をもっとも強く受けるのは胎児と子どもである。

成長細胞ほど阻害される――というリスクがある。

子どもは大人のおよそ一〇倍、胎児は一〇〇倍、悪影響を受けると考えるべきだ。

だから妊娠中こそ、電磁波を母体から遠ざけなければならない。

たとえば、ＩＨ調理器を普通に使っているだけで数十ミリガウスは被ばくする。

すると、流産が五・七倍急増する、という研究報告がある。

さらに恐ろしいのが電気カーペットや電気毛布だ。表面は三〇〇ミリガウスを超える。

つまり、安全基準の三〇〇倍超。電磁波の発ガン性、催奇形性を思い出してほしい。

妊娠初期三カ月間、電気毛布を使った妊婦を悲劇がおそっていた。

胎児の先天異常（奇形）が一〇倍に激増していたのだ。

その被害は、赤ちゃんや子どもにもおよぶ。ホットカーペットで赤ちゃんに添い寝など、ゾッとする。その子の将来の発ガンリスクは、けた外れに高まるだろう。

電気毛布に殺された川端康成

電気毛布や電気カーペットの恐ろしさは、それだけではない。

あなたは、川端康成が〝電気毛布〟に殺された……という事実をご存じだろうか。

これは、ノーベル賞作家の主治医が、公表している事実である。

晩年の川端康成は、電気毛布を愛用していた。その温かさがおおいに気に入り小説の中でも書いているほど。また人にもすすめていた。

そして、文豪は老いるほどに精神に異常をきたしてきた。主治医は、それを老人性うつ病と考えていた。そして、心を病んだ老作家は、ついにガス管をくわえた。

主治医は、その異様な白死の原因が、意外なところにあることに気づいた。

それが、愛用の電気毛布だった。電気毛布から強い電磁波が出ている。それは脳内の神経ホルモン、セロトニンなどを減らす。

すると、うつ症状が現れる。電気毛布にくるまり、安全基準の数百倍もの電磁波を浴び続け、ついに作家はガス自殺を図《はか》ったのだ。

東大出の知性も、最後は、無知の悲劇により生を閉じたのである。

マスコミが電磁波の害をきちんと書いていれば、ノーベル賞作家の無念の死もなかったはずだ。

電磁波と自殺には明らかな因果関係が科学的に証明されている。

「……送電線付近に住む住民の自殺率は約四〇％も高い」（ベッカー博士）

新聞、テレビすべて書けない！

ベッカー博士は、ノーベル賞に二回ノミネートされたほどの電磁波問題の権威だ。しかし、受賞には至らなかった。その理由は、たった一人で米軍を真っ向から批判したからだ。米軍部が計画した超低周波通信ネットワーク構想。それを痛烈に告発した。公聴会でこう証言した。

「国民の生命と財産を守るべき軍部が、電磁波で、国民の生命と財産を危険にさらしてよいのか！」

米軍の計画は、この一言で中止に追い込まれた。

そのベッカー博士が警告する電磁波一〇大被害（91ページ）に注目してほしい。

たった、これだけのことすら、朝日の記者は「書けない」と言った。頭を丸めた記者もいる。左遷、退職に追い込まれた記者も……。呆れて天を仰ぐ。読売、産経、日軽など他社も同じだ。テレビも全局、全滅！　マスコミすべてが、この重大公害に口をつぐみ、目をつぶっている。悲劇は今も続出している。

有害電磁波ひとつとっても、このありさま――。

だから、わたしは「テレビを見るな」「新聞は取るな」と言っているのだ。

中継塔でガン一〇・五倍、放送塔で白血病九倍！

知らず浴びる発ガン電波

携帯電話は中継塔からの電波によって通信している。

電波も電磁波の一種なので、とうぜん発ガン性がある。だから中継塔から三五〇メートル以内に一〇・五倍もガンが多発しているのである（女性。イスラエル・ネタニヤ市調査）。

同様に放送タワーから出る電波も危険だ。タワーの五〇〇メートル以内に住んでいる住民の白血病は九倍……！（英サットンフィールド地区）。

さらにアメリカでは、放送タワー林立地域で、ダウン症児が一〇倍も生まれている。

だから、港区の東京タワーが間近に見える〝高級〟住宅地は、きわめて危険だ。

さらに、危険なのが東京スカイツリーだ。

そこからは強力な発ガン電磁波が周辺に放射されている。

スカイツリーでガン多発！

スカイツリー周辺住民には、これから数倍から数十倍、ガンや白血病、奇形が発生することだろう。

なぜ、そんな危険な放送タワーが市街地に平気で建てられているのか？

そのミステリーを解くカギが、各国の「電波」の安全基準の違いだ。

下の図を見てほしい。一番上が、世界でもっとも厳しい基準だ（オーストリア・ザルツブルグ市）。

それと日本を比較してほしい。あなたは腰をぬかすはずだ。

日本は六〇〜一〇〇μW／㎠。これはザルツブルグ基準の六〇万〜一〇〇万倍！

驚倒するとはこのことだ。

世界の電磁波の規制値（1㎠あたり。単位＝μW）

国／市	規制値
ザルツブルグ市（オーストリア）	**0.0001**
パリ市（フランス）	1.0
モスクワ市（ロシア）ブリュッセル市（ベルギー）	2.0
スイス（全国）	4.0
中国（全国）	6.6
イタリア（全国）ポーランド（全国）	10
オーストラリア（全国）ニュージーランド（全国）	200
アメリカ（全国）カナダ（全国）	**600〜1000**
日本（全国）	**600〜1000**

▲日本の規制値はザルツブルグの60万〜100万倍！

ひどすぎる〝安全基準〟は、他国にくらべても群を抜いている。

たとえばロシア二μW／㎠、スイス四μW／㎠、中国ですら六・六μW／㎠と厳しい。

日本はそれより一〇倍近くも〝ゆるい〟。イタリアなど他のヨーロッパの国でも、一〇μW／㎠と日本の六分の一。

前ページの図で、日本の電波〝安全基準〟は、アメリカ、カナダに追随していることがわかる。なぜか？　この甘い〝基準〟を強要しているのが日米軍事同盟である。

だから、東京タワーやスカイツリーはヨーロッパや中国の市街地では建設禁止である。

スカイツリーがご自慢の浅草っ子も、ひっくり返る話だろう。

そんな悲喜劇がまき起こるのも、マスコミが隠しているからだ！

ガラケーでも一〇年で脳しゅようが五倍！

こんなにある電磁波関連のタブー

以下――。

電磁波関連のタブーを列挙する。

これらの情報をテレビ、新聞はいっさい流していない。悪質な黙殺だ。

①携帯で脳しゅよう：ガラケーの携帯電話ですら強力な発ガン性がある。

スウェーデンの研究では、一〇年間使用しただけで、耳に当てた側に脳しゅようが五倍、発症している（二〇代）。使用されるマイクロ波をネズミの脳に照射すると、わずか二時間で、DNA切断は六〇％も増加する。英国の有力紙『サンダータイムズ』は「ケータイがあなたの脳を料理する！」と警告。しかし、日本のメディアは、いっさい報じてはいない。情報量の多い4Gのスマホは、さらにリスクは高まる。耳に当てて使うなど論外なのだ。

②三万ドル勝訴：二〇〇五年、画期的な判決が下された。「ケータイによる脳しゅよう」が、世界で初めて労災認定されたのだ。法的に携帯マイクロ波が脳に発ガンさせることを認めた判例となる。勝訴したのはカリフォルニア州の携帯プログラマー、S・プライス女史。仕事がら毎日、携帯を使用していた。判決は「労災として認める。医療費などとして三万ドルをプライスさんに支払え」。この世界初の快挙を現地紙は詳細に報じている。

しかし、日本のメディアはまたもや、すべて黙殺した。

③裁判ラッシュ：海外では「携帯で脳しゅようになった」などの訴える裁判が続出。米国だけでも二〇〇〇年からわずか一～二年で約一〇件。世界中で、これまでには数百～数千件もの裁判が起こされているはずだ。しかし、マスコミはいっさい、これを黙殺している。

知らぬは消費者ばかりなり……なのだ。

④企業防衛：いっぽうメーカーは「体から二・五センチ離して使用」など、〝注意書き〟を小さく目立たないように書いている。最近はスマホを買うとイヤホンマイクが付属している。サービスだと思ったらとんでもない。海外では「ケータイで脳しゅようになった」と訴える裁判が続出している。それに備えての対策だ。

ユーザーが訴えると「イヤホンマイク使用しましたか？」と聞き返す。

「いや、ふつうに耳に当てて使ったよ」

「なら、お客様の使用者責任ですね」

姑息《こそく》というしかない。

⑤精子三〇％減：携帯は通話していなくても、強い待ち受け電波を出している。それをズボンのポケットに入れていると精子がやられる。海外では若者に直腸ガンが増えている。それは、ケータイを尻ポケットに入れているからだ、という。

実験でも電磁波が強くなるほど、染色体異常は急増する。ＤＮＡ損傷は決定的だ。

⑥ケータイ症候群：「めまい」「不快感」「注意力欠如」「物忘れ」「疲労感」「頭痛」「耳に熱

感」「肌がチリチリ」「肌が引きつる」……など。これらはすべて、通話時間に比例して発症も多くなる。だから、マイクロ波による身体へのダメージの自覚症状なのだ。

その他、「目のかすみ」「吐き気」「思考困難」……なども起こる。

これらは精神疾患や認知症の症状とも酷似している。

不可解な心身の異常は、じつは愛用の携帯が原因かもしれないのだ。

⑦子どもに持たせるな！：子どもの頭の骨は、大人にくらべて未発達だ。だから、携帯マイクロ波を五倍も吸収する。それだけ、脳しゅようなどのリスクも高まる。

そのCT検査の写真を見れば、子どもにスマホを持たせる親はいなくなるだろう。

じっさい、イギリス、フランス、ロシア、インドなど、子どものケータイ禁止としている国は多い。

知らぬは日本の親ばかり、なのだ。

⑧心臓マヒ：動物実験では、電磁波照射でカエルの心臓が約九割止まっている。

胸ポケットにケータイを入れていて、着信と同時に発作で倒れた人もいる。

まちがいなく、心筋梗塞や心不全の引き金になる。胸ポケットは、避けるべきだ。

ペースメーカーは論外。他人のケータイでストップの悲劇も！

家庭がアブナイ、職場がアブナイ……

距離をおく、時間を短く

電磁波の被害を避けるには、コツがある。

電磁波は発生源から離れるほど弱くなる。ほぼ距離の二乗に反比例する。だから、まずは「距離をおく」。電気製品は多かれ少なかれ、必ず電磁波を発生させている。

だから、「身体から離す」。これが秘訣だ。とくに、電気マットやドライヤーなど発熱器具やモーター類は、強い電磁波を発生させる。

問題はシェーバー（電気カミソリ）、電気マット、電気毛布などの、「距離をおけない」電気製品だ。

ベッカー博士は「電気カミソリを使うとホクロが悪性肉腫という皮膚ガンに変わる恐れがある」と警告している。ブラウンなど電気カミソリを、ふつうのカミソリに替えるべきだ。

もうひとつ。電磁波の健康被害は照射「時間に比例」する。

だから、できるだけ使用時間を短くすること。

そこで、困るのが二四時間いやでも被ばくする近所の高圧線や携帯中継塔だ。

職場も電磁波被ばくの盲点だ。勤務時間内は、そこを動くことができない。

それだけ、強制的に発ガン性のある電磁波を浴びてしまう。

なかには地域全体の電磁波が、安全基準をはるかに超えていた〝悲劇の街〟もある。

⑨高圧線の恐怖：「送電線の近くに住むと、子どもの白血病が三・八倍増える」（スウェーデン、カロリンスカ研究所）。身近な頭上に高圧線があったら、即座に、引っ越すべきである。
この研究では一ミリガウスを超えるだけで、子どもの白血病は二・一倍に増えている。

それは、送電線に近づくほどに増え、もっとも近い場所では三・八倍にたっしていた。

⑩門真市の悲劇：大阪府の門真《かどま》市は、別名〝鉄塔の街〟と呼ばれる。
高圧線の鉄塔がまるでジャングルのように林立している。取材で訪れ、門真駅で測定して卒倒しそうになった。ガウスメーターが一〇〇ミリガウスを振り切った！

市内スーパーのダイエーでは二〇ミリガウス超。ベッカー博士は「一〇ミリガウスを超えたら、すぐに避難しろ！」と警告しているのだ。

だから、門真市民は、全員退避しなければならない。

福島原発と同じ。それなのに、門真市民は、電磁波の脅威について、何ひとつ知らされていない。

一人の自治会長がコツコツと調査を進めた結果、衝撃事実が判った。門真市の白血病死亡率は、大阪府の平均の約一五〇倍にたっしていた……。この結果も新聞は黙殺したままだ。

⑪乳児突然死（SIDS）：免疫ホルモン、メラシニンは呼吸をつかさどる大切な働きをしている。その分泌は電磁波被ばくで急減する。だから、乳児が突然死する。

これら不審死の赤ちゃんの体内メラトニン量を調べると、例外なく三分の一以下に減っていた。犯人は電気マットか、高圧線からの電磁波か……。

異常な電磁波が赤ちゃんの命を奪ったのだ。しかし、途方にくれる親は、そんな事実にはまったく気づかない。メディアが情報を圧殺しているからだ。

⑫アルツハイマー七倍：これは縫製工場職場で発生した悲劇だ。

女性従業員は一日中、ミシンで縫製作業をしている。それはモーターで稼働している。そこから出る強い電磁波を浴び続けた結果、七倍もアルツハイマーを発症したのだ。

認知症は電磁波被ばくでも発症する。しかし、このことを知る日本人は皆無だろう。

⑬電器技師の悲劇：電磁波を被ばくする。すると、わが子にまで悲劇はおよぶ。

電気毛布を使った母親の出産異常は一〇倍だ。それは、男性も同じ。電気技師の父親が生ませた子どもの脳しゅようは一二倍。生殖細胞の遺伝子が損傷されたためだ。

⑭パソコンで奇形五倍：パソコンのそばで育てたマウスから生まれた赤ん坊マウスに、奇形が五倍も激増していた。ＶＤＴオペレーターにも同様被害が出ている。

⑮呪われたオフィス：これは建築上の無知が引き起こした惨劇だ。

地下に変電設備があり、そこから地上の職場に、強力な電磁波が放射されていた。電磁波は床を軽く突き抜ける。そのため、一階の職場で働く人々に一五倍もガンが多発した。いったい、誰が責任を取るのか？

⑯発電所で白血病三八倍：これは、わたしが知るかぎり、最悪の職場災害だ。

労働組合の方に提案したい。職場で電磁波を測定せよ！

三ミリガウスを超えていたら、白血病にかかるリスクは三倍にはね上がっている。自宅も職場も共に二ミリガウス以上だったら、白血病リスクは六・三倍に急増する。そして、職場での電磁波が強いほど、白血病も爆発的に増える。カナダの発電所職員に、白血病が三八倍も多発している。さらに、肺ガン一七倍、脳しゅよう一二倍……！

彼らは、自分をおそった悲劇が、職場で浴びた見えない電磁波によるものだとは、永遠に気づかない。それを、無知の悲劇と笑うことはできない。

最大の責任は、この事実を伝えなかった政府とメディアにある。
だから、今日も、世界中で空《むな》しい悲劇がくり返されている。

——以上。あげていれば、キリがない。
これらは、見えざる電磁波被害のほんの一部にすぎない。
しかし、「初めて知った!」と驚愕《きょうがく》するひとが、ほとんどだろう。
新聞・テレビなどメディアが、目を閉じ、口を閉じ、ぜったいに伝えないからだ。
国民の命を預かるはずの政府もまったく同じ。さらに、学界の責任も大きい。
タブーの電磁波に触れると干される。研究費が出ない。職を失う……。
彼らはみな、おびえながら生きている。何におびえているのか?
見えない〝闇の支配者〟におびえているのだ。その正体は第四章で明らかにする。

壮大なるブラック・コメディ!〝リニア中央新幹線〟

止めないとクニは滅びる

『リニア亡国論』(ビジネス社)という本を書いた。
ぜひ、手にとってほしい。この愛する日本を救うためにも……。

リニア中央新幹線計画は、壮大なるプロジェクトだ。東京と大阪を一時間で結ぶ。

総工費は九兆円。まさに、〝夢の超特急〟だ。誰しもが、そう思っている。

しかし……あなたは、不思議に思わないか？

マスコミで、このリニア計画が話題にのぼることは、いっさいない。

テレビも新聞も、さらには政府でさえも、リニアの〝リ〟の字も口にしない。書かない。

その理由を、これから明らかにする。

リニア計画は、まさに壮大なるペテンだったのだ。それは、言いかえると、壮大なるブラック・コメディだ。だから、新聞、テレビは、一言もいえない。一字も書けない。

わたしは、リニア告発本のタイトルを「亡国論」とした。

これは、おおげさでも、なんでもない。リニアを止めないと、クニは滅びる……。

その理由を、これからお伝えする。

詳細は同書を読んでいただくとして、リニア計画には一〇大欠陥がある。

どれ一つとっても、致命的だ。それが一〇ポイントもある！

もはや、このペテン計画は死んでいる……。

（1）乗客に四万倍の発ガン電磁波

リニア最大の恐怖は、猛烈な発ガン電磁波の被ばくである。

推進側は、ひたすら電磁波被ばくの実態を隠してきた。

しかし、明らかにされた資料では、乗客は安全基準（一ミリガウス以下）の四万倍もの電磁波を被ばくする。

恐ろしいのは、その発ガン性がリニアを降りたあと、一年、二年……と続くことだ。

「一日、強い電磁波を浴びると、体内ガン細胞の増殖スピードが二四倍に増加する」（米、フィリップス報告）

ここで用いられたのは日常生活で受ける強い電磁波である。

しかし、リニアは安全基準の四万倍とケタ外れ。リニアを降りたあと、体内のガン細胞増殖は、少なくとも数十倍になることはまちがいない。

人間はだれでも、体内で毎日、五〇〇〇〜六〇〇〇個のガン細胞が生まれている。

そして、数百万から数億個のガン細胞が少なくとも存在する。これが、正常なのだ。

あなたがリニアに乗る。すると、その強烈な電磁波刺激で、これらガン細胞の増殖スピードが、数十倍にスピードアップする。それだけ、発ガン性リスクは高まる。

つまり、リニアに乗ることは、あなたの発ガン体質をケタ外れに高める……ことなのだ。

リニアは超高速の〝発ガン装置〟なのである。

（2）〝クエンチ〟で乗客火ダルマ

だれも知らされていないが、電磁波被ばく以上に、リニアには致命的欠陥がある。

それが〝クエンチ〟現象だ。これは、超伝導磁石が、突然、磁力を失う。

その原因は、いまだに不明。

つまり、原因が不明ということは、対策も不能ということだ。

この謎の〝クエンチ〟現象が、宮崎や山梨実験線で、少なくとも一四回起こっている。

この〝クエンチ〟がいかに恐ろしいか。リニアの全路線の九割はトンネルだ。それも、南アルプスの頂《いただき》から三〇〇〇メートルも地下の暗黒の世界。そこを時速五〇〇キロで疾走する。

その瞬間、〝クエンチ〟が起きたらどうなる？

リニアの車体は尻もちをつき、跳《は》ねて、側壁にぶつかる。すさまじい摩擦熱で火花が走る。一挙に車体は炎上する。

一瞬で乗客は火ダルマに包まれる。約一〇〇〇人の乗客は火炎地獄で苦悶死する。

じつはリニアは鉄道法にも違反している。同法には「鉄道車両規則」が定められている。鉄道車両は、万が一の事故を防ぐため、材料にも厳しい基準がある。

カーテンから窓枠まで、燃え難い材料が使用されなければならない。

しかし、リニア車体素材を知って驚いた。アルミと軽量プラスチック……。

鉄道法にのっとれば、車両は堅牢な鉄製でなければならない。

すると、重量が増し、リニアは浮き上がらない！　だから、「難燃性」という「鉄道法規則」もフッ飛ばしている。つまり、リニア車体自体が違法構造なのだ。

(3) 暗黒トンネル逃げ場がない!

リニアの九割はトンネルだ。それも南アルプスの堅い岩盤を掘って造るという。

これ自体が狂気だ。万が一、実現したとしても、惨劇が待ちかまえている。

推進企業、JR東海は「一〇キロごとに避難坑を設ける」という。仮にリニア新幹線が故障で停まったとする。

乗客は暗黒のトンネルを徒歩で、最悪五キロ、避難しなければならない。

火災のときはどうなるのか?

市民グループがJR東海に質問したら、次のような回答が返ってきた。

「……トンネル下部分に避難用トンネルが設置されます。そこは、防火・防煙構造なので安心して避難できます」

説明した断面図にも、それが明記されていた。

ところが、この説明がウソ八百だった。

じっさい、工事に使用された設計図からは、「下部の避難トンネルが消えている!」。

これでリニア車両火災が起きたらどうなる? JR東海側は、こう〝指導〟している。

「風上に向かって、避難して下さい」

真っ暗闇のトンネルで、風向きがどうすればわかるというのだ。

この設計変更で、リニア計画に〝人命はいっさい考慮されていない〟ことがよくわかる。

（4）「破綻します」ＪＲ東海社長

「……リニアは絶対ペイしない」。つまり、「まちがいなく破綻する」。

この発言は、だれあろう、ＪＲ東海社長、山田佳臣氏の記者団を前にしての公言だ。

推進側の責任者が「リニア・プロジェクトは破綻する」と断言しているのだ。

ちなみに、ＪＲ東日本の社長も「オレは、絶対乗らない」と言い切っている。

「事故が起きれば死骸も出てこねぇよ」。それは、まちがいない。

南もアルプス地下トンネルで、リニア火災が起きれば、死体も燃え尽きてしまう。

正直なＪＲ東海社長の発言に焦ったのが、リニア推進側の連中だ。

〝かれら〟の狙いは、リニアを破綻させ、日本を破産に追い込むことなのだ。

その〝闇の勢力〟の使いっ走りが安倍晋三首相である。

彼は、独断でリニア利権に三兆円もの血税を注ぎ込んだ。名目は財政投融資だ。

しかも、政府保証ということで、現ナマをリニア・マフィアに投げ与えたのも同然だ。

リニア推進派のドン葛西敬之は、極右でかつ安倍後援勢力の中心人物。早くいえば、〝お友達〟というより、日本の闇のフィクサーだ。

そこに、安倍はポンと国庫から三兆円も〝プレゼント〟。

森友学園は八億円、加計《かけ》学園は約四〇〇億円……。それにくらべると、ケタ外れだ。

しかし、モリカケ問題をあれほど追及してきたマスコミは、なぜか、この巨額〝プ、レ、ゼ、ン、ト〟には、まったく触れない。

彼らの言い訳は予想がつく。

「よそが書いていないから、書けませんよ……」

そもそも少子化に向かう日本でリニア中央新幹線が、必要なのか。

JR東海が発表した理由は、わずか以下の三点――。

①東海道新幹線の輸送力が限界に近い。

②在来新幹線の老朽化で代替が必要だ。

③超高速化で時速五〇〇キロをめざす。

これに対して識者は、明快に反論している。

①には「一七年間で乗客は一割しか増えていない」、さらに「少子化で今後、減少していく」「二階建て車両にすれば十分」。だから、①はまちがい。

さらに②もウソだ。「のぞみ」に乗ってみれば、すぐわかる。

また「リニアが完成すれば、在来新幹線の乗客の半分はリニアに移る」という。これぞ、取らぬ狸の皮算用。役人が、鉛筆なめただけ……。

そもそも「半分リニア」に移れば、在来新幹線の利益も「半分減る」ではないか！

つまりプラスマイナスゼロ。子どもだましレベルにJR東海は気づいていない。

中国、フランスは時速五〇〇キロ超高速列車を完成

二〇一一年、中国最新列車

(5) 中、仏すでに時速五〇〇キロ列車走行

「時速五〇〇㎞」の超高速こそ、リニア最大の売りである。

そのため、超伝導という〝最新〟技術を駆使する。

車両を磁力で浮かせて、時速五〇〇㎞走行という〝快挙〟を達成している。

しかし……。

わたしは二〇一九年九月、中国に招聘《しょうへい》されて上海、寧波《ねいは》へ講演旅行に赴《おもむ》いた。

そこで中国の新幹線網が日本の一〇倍以上の距離で整備されていることに驚いた。

そのスマートな車体は最高速度三八〇㎞という。さらに、驚いたのは二〇一一年の段階で、すでに中国は時速五〇〇㎞の超高速列車を開発していたことだ。

古来の刀をイメージしたという流線形デザインは衝撃的だ。

それは、「一帯一路」構想で、上海からパリまでユーラシア大陸を一気に駆け抜けるだろう。まさに、新オリエント急行。さらに驚愕したことがある。中国に競うように、フランスも同国新幹線TGVで、なんと最高速度五七四・八㎞を達成している。

さらに、専門家は断言する。「『のぞみ』も台車を三つにすれば、軽く五〇〇㎞で走れる」。つまり、中国、フランス、「のぞみ」、どれもが地上列車で五〇〇㎞走行は可能なのだ。

「だったら、リニアいらねぇじゃん！」

子どもどころか赤ん坊でもわかる。

陸上列車で時速五〇〇㎞出るなら、日本アルプスの山を延々と掘ってリニアを通すなど、愚の骨頂である。

現行の「のぞみ」ですら、軽く四五〇㎞走行は可能なのだ。

しかし、二〇〇㎞台でチンタラ、タラタラ走っている。その理由は、「のぞみ」で五〇〇㎞走行可能とわかってしまうと、〝リニア利権が迷惑〟するからだ。

新たに原発二基が必要とは

(6) 消費電力は新幹線の四〇倍！

これもリニアの致命的欠陥だ。新幹線の四〇倍も電気を食う。

そんな、化け物のようなプロジェクトを推進している。これもまた想像を絶する狂気だ。

なにしろ、リニアを運行させるには、新たな原発が二基、必要だという。

しかし、政府は、この事実には全くふれない。原発二基の建設費も、リニアの建設費にカウントされなければならない。するとさらに予算はケタちがいのものになってしまう。

だから、政府、推進側は、あえて沈黙しているのだ。

マスコミの責任もきわめて大きい。彼らはリニアを「夢の新幹線！」と推進側の提燈《ちょうちん》もちに徹している。すると、広報広告が入るからだ。

だから、メディアも〝リニア・マフィア〟のまぎれなき一員なのだ。

（7）コストは大爆発、日本は沈没する

政府・推進側は、リニア建設費を九兆円と公表している。

東京〜名古屋間で五兆円。しかし、識者はだれひとり、そんな数字を信用していない。

公共事業は、当初予算より膨らむのが〝常識〟だ。

たとえば、本州・四国架橋は、じっさいにかかった工費は当初見積もりの四・六倍……！

民間契約だったら考えられない。それでも、政府は気前よく支払っている。

リニア工費は最低五倍はふくれあがる。いや、一〇倍にハネあがるかもしれない。

全長の九割はトンネルだ。それも、南アルプスの岩盤を掘り進む、超難工事——。

映画『黒部の太陽』をご存じか。黒部第四ダム建設陣の悪戦苦闘を描いた傑作だ。

そこで、工事担当者が直面したのが破砕帯だ。瓦礫《がれき》断層から重機を吹き飛ばすほどの勢いで地下水が噴出。一つの断層帯で工事は半年以上ストップしている。

そのような破砕帯が何十と待ち構えている。工費は底無し沼のように吸い込まれていく。

つまり、コストは大爆発。経済破綻で日本は沈没する。

(8) アルプス自然破壊で産業も崩壊

南アルプス一帯は、日本有数の観光地である。その自然美は、世界に誇る景観だ。

そのアルプスの地下に長大なトンネルを穿《うが》つ。破砕帯に穴をあける。

それは、バスタブにキリで穴を開けるがごとし。水源を断たれた渓流は涸《か》れる。樹々も枯れる。野生動物たちも死滅する。深刻な自然破壊は、もろに観光産業を直撃する。

それだけではない。大井川などの水脈が涸れる。

すると、農業、工業など、河川域のすべての産業が影響を受ける。静岡県知事が、身体を張ってリニア工事の着工を阻止しているのは当然だ。

一部の市民や自然愛好家たちも、裁判に訴えて、リニア反対を叫んでいる。

しかし、ほとんどの国民は、まったく関心すらない。

それも道理。新聞が、このようなリニアの本質をまったく伝えないからだ。

テレビも、いっさいリニア問題には触れない。触れたらえらいことになる。ヤケドする。それがわかっている。だから、あえて、リニアの〝リ〟の字も口にしないのだ。

(9)名古屋までリニアも一時間四〇分?

東京から名古屋まで、リニア開通予定は二〇二七年である。コロナ禍の二〇二〇年、JR東海は開通予定延期を公表。

わたしは開通は絶望的だとみている。すると、またもや、コメディが発覚する。

東京からスタートしてAさんは「のぞみ」。もう一人のBさんはリニアで向かうとする。

「では、名古屋で……」と別れたBさんは、それから重い荷物を引きずって品川に向かう。

リニア中央新幹線の新駅は、JR品川駅の深度地下にあるからだ。

Bさんは、まず山手線に乗って品川駅に向かわねばならない。乗車時間は一一分。

さらに、難行が待っている。なんとリニア地下駅の入り口は、山手線とは対極の港南口にあるのだ! 数百メートルも構内を歩いて、次は地獄行きのように長い長いエスカレーターで地下へ。なにしろ、リニア新駅は都営地下鉄大江戸線よりさらに深い地下にある。

ようやく駅にたどり着いてもすぐにリニアに乗れるわけではない。

名古屋直行便は一時間に三本しかない。二〇分の待ち時間も覚悟しなければならない。

こうして、移動、待ち時間などを試算してみると、なんとリニアでも一時間四〇分……!

「のぞみ」と同じ……。まさに、落語のような〝落ち〟だ。

これだけでは、すまない。専門家も「リニアには、手荷物検査が不可避」という。

爆発物や危険物の持ち込みは、即、大惨事に直結するからだ。

そうなると、さらに手荷物検査で大幅に時間を食う。「のぞみ」は名古屋に着いた。

なのにリニアはまだ着かない……。こうなると喜劇というより悲劇だ。

(10) 運転士がいない！

「のぞみ」など新幹線には、運転士がいる。あたりまえだ。事故や異常に即座に対応するために、運転士は不可欠だ。しかし、リニアにはいない！　みんな、エッと驚く。

なぜか？

運転士への強烈な電磁波被ばくを避けるためだ。

発電設備に勤務する労働者に白血病が三八倍も多発している。リニア車両で被ばくする発ガン電磁波は、ケタ外れだ。まず、労組が乗車勤務拒否する。それを見越してJR東海は、無人としたのだ。彼らの頭の中には、乗客の安全という発想はない。

では——。いったい、誰が運転するのか？

コンピュータが操作する。中央本部から、すべての運行を制御する。

しかし、コンピュータ・システムに不具合はつきものだ。バグ、フリーズ、停電さらにはハッキング……。暗黒のトンネルで事故が起きても、肝心の運転士がいない。

いったい、誰が、どう対応するのか？

じつは、ＪＲ東海も、そこまで考えていない。あとは野となれ山となれ……なのだ。


今すぐ抗議の電話を！


このように、リニア新幹線は、まさに突っ込みどころ満載のコメディである。

しかし、笑っている場合ではない。いまも彼らは南アルプスを掘っている。

建設残土の捨て場所すら決まっていないのに……。

見切り発車で、亡国プロジェクトは、暴走している。

止めるのは、あなただ。まずは、政府（国土交通省。ＴＥＬ：０３／５２５３／８１１１）とＪＲ東海（ＴＥＬ：０５０／３７７２／３９１０）に「リニアを止めろ！」と抗議の電話をしてほしい。

その根拠として、これまで述べた「リニア一〇大欠陥」をあげてください。彼らは、一言も反論できないはずです。クニを動かすのも、救うのも、主権者であるあなたなのです。

リニアと同じ5G幻想

さらに、新たな電磁波クライシスが人類を襲おうとしている。

それが5G――。この危機にも、マスコミはいっさい沈黙している。

それどころか、NBAバスケット選手の八村塁クンなどを起用して、盛んにテレビCMを流している。まるで、5Gは明るい未来であるかのようだ。リニアとまったく同じ手法だ。バラ色の未来列車――それが、リニア幻想だ。

同様に5G幻想――で、ひとびとを〝洗脳〟している。

5Gの〝G〟は、GENERATION《ジェネレーション》（世代）の頭文字。つまり第五世代・通信システムという意味だ。ちなみに携帯電話ガラケーは第三世代、スマホは第四世代だ。

〝洗脳〟された大衆は、「世代が進化していくことは、いいことじゃないの」と単純に思ってしまう。

しかし、これまで述べたように、電磁波には発ガン性、催奇形性、神経・免疫障害など一〇指に余る危険がある。それにたいして、世界のメディアは、すべて口を閉ざしている。彼らはほとんどが、この電磁波の膨大な利権の恩恵に浴している。

だから、口が裂けても電磁波の危険性にはふれない。マスメディアも電磁波公害の共犯者なのだ。

携帯基地局周辺の住民に頭を丸めて謝った朝日記者のエピソードを思い出してほしい。まだ、この記者には〝良心のカケラ〟があっただけマシだ。

5Gはタバコと同レベルの発ガン性！

人類全員にタバコを強制!?

3Gガラケーでも害がある。

一〇年間耳に当てて使う。それだけで五倍も脳しゅようができる（二〇代）。

おそるべき発ガン性だ。

スウェーデンの研究機関によるこの決定的報告も、メディアはすべて黙殺した。

だから、日本人はだれも知らない。

マスコミが見えない〝闇の権力〟に支配されている。もはや、子どもでもわかる。

それでも、世界の通信ビジネスは5Gに突き進んでいる。なぜか……？

みんながやるから止められない。みんなでやれば怖くない。

その危険性に警鐘を鳴らしているのも、ひと握りの研究者たちだけだ。

その命がけともいえる告発は衝撃的だ。

「**5Gにはタバコと同レベルの発ガン性がある**」

ガン研究の世界的権威A・ミラー博士（トロント大名誉教授）は断言する。

これは、人類全員にタバコを強制的に吸わせるのと同じだ。

電波で大衆を〝洗脳〟操作

「……5Gの真の狙いは『人類全体の〝洗脳〟だ！』」

こう主張する研究者は多い。

「……5G基地局では、周波数を変調方式で瞬時に切り換える技術が使われる。これは、精神にも影響をおよぼす。だから、5Gは直接的な身体被害に加えて、国民は精神操作される恐れがある」（物理学者・平清水九十九氏）

じっさい、見えない電波で、大衆心理を操作する実験が密かに行われている。

研究者によれば、すでに軍事的に成功しているという。

たとえば、南アフリカで黒人支配のための政治的利用がそうだ。

電波で喜怒哀楽の感情を操作する……？

あなたには、まるでSF小説の世界としか思えないだろう。

しかし、それは現実に成功している。それも、一九六〇年代のことだ。

六〇年代には動物実験成功

公開実験を行ったのはスペイン出身の脳科学者ホセ・デルガド博士（一九一五～二〇一一年）。彼はスペインの闘牛場で派手な動物実験のパフォーマンスを行っている。

対面する先には荒れ狂った一頭の闘牛。怒りにまかせて博士に向かって突進してくる。そのとき、彼は慌てず、手元の無線機のレバーを操作。すると黒牛は一瞬で立ち止まった。別のレバーを押す。するとこんどは寝そべった。別の操作では眠り始め、次には急に立ち上がる。まるで牛は、リモコンロボットのように自在に操《あやつ》られた。

仕掛けは、牛の頭に埋め込まれた電極棒にある。その先は脳の各分野にたっしている。そして、博士の手元の無線操縦器からは、各々電極に電波で電流が流れる仕掛けだ。その操作で、デルガド博士は、荒れ狂う闘牛の感情と行動を自在に支配したのだ。

博士は、つづいて猫やサルの喜怒哀楽も、無線で〝支配〟している。

この衝撃の〝洗脳〟実験が、今から五〇年以上も前に成功しているのだ。

これら実験は公開されている。にもかかわらず、世界のマスコミはいっさい報じなかった。

彼らもまた〝闇の権力〟に支配された〝洗脳〟装置だからだ。

人類に逃げ場はない

それでも、世界中の市民の間に、「ストップ！　5G」の反対の声がまき起こっている。

それは、専門家たちの良心的な内部告発に呼応したものだ。

研究者だけではない。推進する企業内部からも告発の声が次々にあがっている。

「……業界は5Gの性能は強調するが、安全テストは一度も行っていない」

耳を疑う証言は、なんとマイクロソフト社首脳級の爆弾証言だ。

告発当事者は、カナダ支社長だったクレッグ氏。自らが推進する5G計画のあまりの恐ろしさにCEO職を辞任し、反対の声をあげた。

「……5Gに用いられるミリ波は、浴びると皮膚に痛みを生じる。そして、以下の数多くの症状に襲われる。人類に逃げ場はない。その有害な電磁波に三六五日さらされるのだ。

その症状とは――ガン、糖尿病、永続的なDNA損傷、不眠症、頭痛、疲労、不整脈、不妊症、耳鳴り、手足のシビレ、マヒ……。さらに、精神異常を起こす。不安、うつ、ADHD（注意欠如・多動症症）、自閉症、そううつ、情緒不安定……」

〝闇の支配者〟による人類操作と人口削減

ムクドリが墜死、ウシが倒れた

専門家や内部告発者の警告は、5G実験段階で〝現実〟になっている。

オランダ、ハーグでは5Gアンテナ送信実験を始めたとたんに、隣接する公園でムクドリがバタバタ落ちて死亡するという〝異変〟が起こった。

その死体は、確認されただけで二九七羽にたっした。研究者が解剖したが感染症などの症状はいっさい見られなかった。

同様の報告は世界中から寄せられている。

水鳥が一斉に水中に顔を突っ込んだ。狂ったように飛び回った。牧場でウシが倒れた……

などなど。

野生動物たちには、異常電磁波を感知する能力が鋭い。

地震の前に動物たちが異常行動をとるのも、地殻変動から生じる異常電磁波を、まっさきに感知するからだ。同様に、動物たちは5G有害電磁波に一斉にパニックを起こしたのだ。

金儲け、洗脳、人殺し

5G実験と同時に周辺の鳥が全滅した。異常行動を示した。

なら、人類にも同じ被害が確実に生じる。それは、だれでもわかる。

なのに、なぜ〝かれら〟は5Gを強行しようとしているのか？

目的は三つだ。

①巨利収奪
②洗脳操作
③人口削減

わかりやすくいえば、「金儲け」、「洗脳」、「人殺し」だ。

5Gを強行推進している奴らのトップにいるのが国際秘密結社イルミナティだ。

本書で何度も登場する〝闇の支配者〟だ。〝かれら〟は地球全体の富を収奪し、家畜（人類）を洗脳し、間引きする。そのために、5Gも使われるのだ。

その意味で気象兵器HAARP（ハープ）や殺人ケムトレイル（有害雲）と目的は同じだ（本書第四章参照）。

数十メートルおきにアンテナ林立！　逃げ場なし

5G反対同盟に参加を！

5Gには波長が短いミリ波が使われる。

この電磁波は直進する。障害物に遮《さえぎ》られる。だから、市街地などでは数多くのアンテナが必要になる。アンテナは数十メートル間隔で設置する必要がある。信号機から電信柱、ビル窓枠、さらに、マンホールにまで設置される。

まさに、未来の人間は、林立する剣山の中で生活するような状態となる。

その〝剣山〟の先からは、発ガン性のある殺人電磁波が常に放射される。

人々は三六五日さらされ続ける。これを狂気の未来図と呼ばずに、なんと呼ぼう。

狂気はすでに現実のものとなっている。

世界各地で「5Gの電波の邪魔になる」という理由で街路樹が次々に切り倒されている。

正気の沙汰ではない。世界中で市民が反対に立ち上がったのも当然だ。

わたしたちも5G反対同盟を立ち上げた。

クラウド・ファンディングなどで支援を募っている。

あなたの参加を訴えたい。未来の子どもや孫たちに、地獄の環境を残さないために……。

政府へ抗議電話の嵐を!

あなたは、ここまで読んで、首をかしげたはずだ。

これほど恐ろしい事態が進行している。

どうしてNHKは一言も5Gの問題に触れないのか?

なぜテレビ各局はイノシシやシカの出没ニュースなどは延々と流すのに、5Gに完黙するのか?

新聞各紙には5Gの文字すら登場しない。なぜだろう。

わたしの知る限りでは、5Gの問題点を報道したのは東京新聞一紙のみ。それも「有害性が指摘されている」という、きわめて抑制した報道だった。

本書で告発した具体的内容とはほど遠い。

マスコミに5G問題が登場しない。それはあたりまえである。
5G同様にマスコミも〝闇の権力〟に完全支配されているからだ。
そういうと「ああ、陰謀論ね……」と冷笑するヤツがいる。
「都市伝説ですねえ」と皮肉るバカがいる。こういう連中は、もう相手にしない。
バカは死ななきゃ、治らない。
ケイベツし、憐《あわ》れみ、無視黙殺する。
しかし、あなたが目覚めたならば、声をあげてほしい。
抗議の電話をしてほしい。
相手は総務省である（TEL：03／5253／5111）。

【第三章】

「医療」「栄養」、マスコミはウソをばらまく

――〝洗脳〟大衆は、闇の支配者の家畜《ゴイム》である

ペテン医学者とインチキ栄養学者

医学と栄養学がウソ八百

マスコミは真実を「書かない」だけではない。

他方で平然とウソを「ばらまく」。

テレビ・新聞には医療情報があふれている。

健康情報も花盛りだ。しかし、その多くがペテンである。

典型的なのが「医療」「栄養」情報だ。

「クスリは、しっかり飲みましょう」「検診、きちんと受けましょう」「三食ちゃんと食べましょう」「お肉と牛乳は毎日とりましょう」

これらは致命的な過《あやま》ちなのだ。やったら確実に健康を損《そこな》い、病気になり、寿命はちぢむ。

しかし、マスコミは、これら〝洗脳〟をくり返す。

なぜか？　メディアは〝闇の支配者〟による大衆〝洗脳〟装置だからだ。

だから、本当のことを流せるわけがない。

第一章で述べた毎日新聞の正義漢T記者の悲劇を思い起こしてほしい。

化学調味料は子どもに控えるように……と、真実を書いただけで六年間も飛ばされた。

いわずと知れた味の素社の〝圧力〟である。
そして、同社もまた〝闇の権力〟の支配下にある。上には上があるのだ。
権力とはピラミッド構造をなすことを忘れてはいけない（本書181ページ参照）。

さて――。
マスコミに登場する医療、健康情報が根本的に誤っている原因は何か？
それは現代医学と栄養学が、根本から誤っているからだ。
根本ルーツがウソ八百なのだから、どこまで行ってもウソ八百なのだ。
ここまで聞いても、あなたはキョトンとするだけだろう。
反発する人もいるはずだ。何をデタラメ、過激なことを言うな！
そう思って当然だ。現代医学と栄養学こそが、デタラメなのだ。
それを、これから論証する。

ウィルヒョウとフォイト

近代〝医学の父〟と称えられる人物がいる。
ルドルフ・ウィルヒョウ（一八二一～一九〇二年）。ベルリン大学学長など、かつてのドイツ医学界に君臨した首魁《ドン》である。

もう一人。近代〝栄養学の父〟とされるのが、カール・フォン・フォイトだ。

やはり、ドイツ・ミュンヘン大学に四五年間も君臨したドイツ生理学界のドンである。

この二人の学者こそが、近代から現代にいたる医学、栄養学の〝神サマ〟なのだ。

現代の医学教育は、まさにウィルヒョウ学説であり、栄養学教育はフォイト学説なのだ。

だから世界中の医学博士や教授たちは、みなウィルヒョウの直弟子である。

同じように栄養学博士や教授たちは、フォイト栄養学の忠実な僕《しもべ》である。

二人の神サマこそペテン師

ところが、この二人の神サマたちこそペテン師だったのだ。

だから、世界中の医学部教授や栄養学博士たちも、のきなみペテン師とあいなる。

あなたは、おそらくウィルヒョウという名前、フォイトという名前も初めて耳にしたはずだ。見たこともない。聞いたこともない。

マスメディアには、一字も登場しない。あたりまえだ。

そもそもテレビや新聞などマスコミに、この二人の名前が出ることは、まず絶対にない。

なぜか？

とても、名前を出せるシロモノではないからだ。

まともな頭の持ち主なら、彼らの「学説」はおかしい！　と、すぐに気づく。

だからメディアどころか学界でもこの二人の名前を口に出すことはタブーとなっている。不思議である。

医学、栄養学の分野では、彼ら研究者にとっては〝父〟であり、神サマなのだ。

それなのに、なぜ、口に出してはならないのか？

〝弟子〟たちが、少しでも検証すれば、そのお粗末さが一目瞭然だからだ。

だから、二人の神サマは、医学界、栄養学界ですら神棚の奥に封印されている。

人類二人に一人は病院で〝殺される〟

自然治癒否定の致命的過ち

まず、ウィルヒョウがなぜペテン師なのか？

当時、ドイツ医学界では「生命とは何か？」という論争があった。

そこには正反対の意見が存在した。

片方は「生命とは神秘的力（生気《せいき》）が司《つかさど》る」という「生気論」。

他方は「生命とは物体的力（機械）が動かす」という「機械論」。

ウィルヒョウらは、後者であった。当時の産業革命を背景に台頭してきた理論だ。

ウィルヒョウは「物体にすぎない生命に、自然に治る神秘的な力など存在しない。怪我や病気を治すのは、われわれ医師であり、医薬であり、医術である」と宣言した。

ここで、彼は致命的な過ちを犯している。

生命の根本原理、ホメオスタシスを根底から否定してしまったのだ。

これは、「生体恒常性維持機能」と呼ばれる。生体と物体のちがいは、ここにある。

生体はつねに、みずからを正常に維持しようとする働きがある。

その典型的なものが「自然治癒力」なのだ。自然治癒力を否定することは、生命原理を否定するにひとしい。それを、ウィルヒョウは広言してしまった。

つまり、彼は医学者として、致命的な過ちを犯したのだ。

ロックフェラーによる庇護

だから、ウィルヒョウ学説は、ペテン学説なのだ。

なのに、どうして彼は〝医学の父〟の称号を授かったのか？

このイカサマ学者の誤った放言を、大拍手で迎えた勢力がいた。

それがロックフェラー財閥である。〝かれら〟の狙いは近代医療利権の奪取であり制圧だ。

だから、〝かれら〟の医療利権の支配に役立つ理論としてウィルヒョウを称賛した。

眩《まぶ》しいばかりの王冠をその頭上に恭《うやうや》しく授けたのだ。

こうして、ロックフェラーは、近代医学体系を確立した。

その根本ルーツこそ、ウィルヒョウ理論である。

それは近代医学として全世界のあらゆる大学医学部で教えられることになった。

ちなみに、大学六年制の医学教育制度を確立したのもロックフェラーである。

そこに進学するには高額の学費が求められる。

こうして、貧しい階層の出身者は、医者になる道を断たれた。

狂人学者クローン大増殖

そして、全世界の大学で教えられている医学教育（狂育）は、人殺し医学なのだ。

古代ギリシア医聖ヒポクラテスは、こう喝破している。

「人は生まれながらに一〇〇人の名医を持っている」

「医者は、これら〝名医〟の手助けをしなければならない」

この〝名医〟が自然治癒力を指すことは、いうまでもない。

〝名医〟の手助けとは、自然治癒力を認め、それを活かすことだ。

しかし、ウィルヒョウは自然治癒力の存在そのものを、真っ向から否定した。

はやくいえば狂人学者だ。その異常な学説を、世界中の医学生たちは、真実と誤認し、信奉し、学んでいる。

こうして狂人学者の〝クローンたち〟が、大増殖し、地球上にあふれている。

九割の医療が消えれば人類は健康になれる

医学は「死に神」、病院は「死の教会」

ペテン師と〝闇の権力〟に乗っ取られた近代医学は、悲喜劇の道をたどって今日にいたる。大学医学教育のカリキュラムを見よ。「自然治癒力」を教える講座が存在しない、、、！

医師のタマゴたちは、自然治癒力を一時限どころか一秒も学ばない。

そうして、医師となり教授となる。これほど、恐ろしいことはない。

数少ない良心の医師として、今も民衆に称えられるロバート・メンデルソン医師（小児科医）は、こう断言している。

「……現代医学の神は〝死に神〟であり、病院は〝死の教会〟である」

「医学で評価できるのは一割の救命医療のみ、残りの九割は慢性病には無力である」

「医療の九割が地上から消えれば人類は間違いなく健康になれる」（『医者が患者をだますとき』草思社）

一九七〇年代、イスラエル全土で病院がストをしたら、同国の死亡率が半減した。ストが解除されると、元に戻った。つまり、現代医学で人類の半分は、殺されているのだ。

それでも、ひとびとは病院に列をなしている。

「医者が病気を治してくれる」と信じている。「薬で病気を治せる」と信じている。新聞は具合が悪ければ「お医者様に相談を」と書く。

テレビは「クスリはしっかり飲みましょう」と流す。これこそを〝洗脳〟というのだ。

とりわけ日本人は純朴だ。正直の上に馬鹿が百個ほどついている。

医者のいうことは、すべて鵜呑《うの》みにして信じる。テレビや新聞のクスリCMは、すべて本当だと思っている。まさに家畜レベルなのである。

地球を闇から支配する勢力イルミナティは、人類をゴイム（家畜）と呼んでいる。

まさに、〝かれら〟のいうとおりである。

病院は人間有料「屠殺場」である

『医療殺戮』この本を読め

闇の勢力による医療支配を完膚なきまでに暴いた一冊の本がある。

『医療殺戮《さつりく》』（ユースタス・マリンズ著、ともはつよし社）。

読んで字のごとく、現代の人類は、医療によって〝殺戮〟されている。

殺している連中こそが、〝闇の支配者〟イルミナティだ。

その双頭の悪魔が、ロスチャイルドとロックフェラー一族だ。

とりわけロックフェラー財閥は、近代の医療利権を独占してきた。

石油王は医療王としても君臨している。「医療独占体」は「彼らの製造した化学物質を使用しない治療を、すべて『違法』として断罪しようとしている」（マリンズ氏）

つまり、彼らの利権を犯す自然な伝統医療などは、すべて「違法」として弾圧してきた。

〝かれら〟にとって、正しい医療で病人を治す医者は、すべて邪魔者なのだ。

——だから、逮捕する。あるいは、抹殺する。

アメリカでは食事療法など自然な治療でガンを治す医者が数百人暗殺された……という。

ガン食事療法で世界的な権威マックス・ゲルソン博士も、ロックフェラー財閥が放った刺客に暗殺されている。

自然療法医たちを次々と暗殺

〝闇の支配者〟たちは「家畜」を自在に太らせ、自由に屠殺《とさつ》することができる。

その意味で、病院こそ人間の有料「屠殺場」なのである。

白衣の医者は屠殺人で、看護師はその助手である。

ここまで書いたら、さすがの医者も憤激し、看護師も蒼白となるだろう。

しかし、あなた方は反論できるか？

アメリカ人の死亡原因の第一位は、なんと「病院」である。

約七〇万人が毎年、病院で〝殺されている〟。

第二位は心臓病である。

「毎年五〇万人が、身体を真っ二つに切り開かれてバイパス手術を受けている」（米・エセルスティン医師）

まず脚を切り開いて血管を取り出し、胸にメスを入れ、むき出しになった心臓に縫い付ける。凄まじいアクロバティック手術だ。手術費はおよそ一〇万ドル（約一一〇〇万円）。

だが、その七六％は「無意味」と米国政府機関も認めている。

そして最期はやはり、心臓病で苦しみながら死んでいく。

他方、完全菜食（ヴィーガン食）に切り換える食事療法では、冠状動脈のアテローム血栓も一〇〇％消えて、心臓病も完治している。

しかし、医療利権の奴隷であるマスコミは逆立ちしてもこのような真実は流さない。

「治せない」と自慢する医者

「医学部は、『病気』は教えても『健康』は教えないんです」

正義派の医師、宗像久男医師は、断言する。

「健康とは何か？　それがわかっていない。だから、病気も治せない」

さらに、彼の証言は衝撃的だ。

「医学部では、まず『ガンは治らない』と教えます。だから、医者は患者を死なせても、まったく責任をとらなくてよい」

だから、医師たちは患者に向かって平然と告知する。

「糖尿病は治りません」「ALS（筋無力症）は治らない」「リウマチは治らない」……。

つまり、これら専門医は、一人の患者も治したことがない……と「自慢」している！

「一軒の家も建てたことがない」と自慢する大工に家の新築を頼むようなものだ。

「それでもお願いします」と頭を下げる患者のアタマの中身は、どうなっているのだろう？

つまり、ウィルヒョウ以来の現代医学は、芯から崩壊しているのだ。

その事実に、医者も患者も、いまだに気づいていない。

そして、いまだ、有料「人間屠殺場」には、順番を待つ長蛇の列が並んでいる。

これは、現代社会の目もくらむブラック・コメディ（悲喜劇）だ。

その実態を、わたしは『医療大崩壊』（共栄書房）にくわしく書いた。

生き残りたかったら、手にとって一読してほしい。

そんなものは、読みたくない？　それもあなたの選択だ。

耳をふさぎ、目をふさぐ。そして「製薬会社に騙され」「病院で殺される」道を選ぶ。

それも、あなたの生き方、自己責任だ。その先には無知の悲劇が待っている。

そのときになって後悔と苦痛に苛《さいな》まれるだろう。

しかし、それも、運命とあきらめるしかない。

医者のウソが次々に暴かれてきた

ガン三大療法以外は逮捕！

〝かれら〟はインチキ学者ウィルヒョウを教祖として奉《たてまつ》り、近代医学を確立した。

その典型がガン治療である。

……その治療法は「切る」「叩く」「焼く」（メスで切る、抗ガン剤で叩く、放射線で焼く）。

これがガン三大療法である。

なかでも最悪なのは〝超猛毒〟抗ガン剤だ。ガン治療の正体は、毒殺なのだ。

〝闇の勢力〟は当然、アメリカ政府も完全支配してきた。だから、米政府は、これら三大療法以外のガン治療を「違法」と断罪し、医者を逮捕しまくった。

あなたは信じられるか。真に患者を治そうとした医者や治療家は、犯罪者に仕立てられたのだ。そのため、多くの良心的医師たちは、隣国メキシコに〝亡命〟して、治療を続けた。

私の著書『抗ガン剤で殺される』（花伝社）を読んだアメリカの著名なヒーラー、ケン小林氏は、最初こう思ったという。「この著者は、もうおそらく殺されている……」

だから、私に会ったときの第一声が「船瀬さーん、生きててよかった」とハグしてきた。

そして、真顔でこう注意した。「この本は、決してアメリカで出版してはいけません」

その理由を尋ねると「二週間以内に必ず殺されます」。それは冗談ではなかった。

「自然療法でガンを治したドクターたちが、何百人も殺されてます」

闇の悪魔たちは、それくらいのことは平然とやってきたのだ。

たとえば、ブラジルでは、アマゾンの自然を破壊する畜産業に抗議する市民や活動家たちが、過去二〇年で約一一〇〇人も暗殺されている。

真のテロリストとは、イルミナティであり、その支配下の連中なのだ。

猛毒抗ガン剤で余命四分の一に

ところが、死に神支配の医学に反旗をひるがえす医師、研究者たちが続出してきた。

「ガン治療を受けた患者の平均余命は三年、受けなかった患者は一二年六カ月長く生きる」

(H・ジェームズ博士)

つまりガン患者は、抗ガン剤などによるガン治療で余命を四分の一以下に縮められている。

現代医療を受けなければ四倍長く生きられ、自然療法をすればガン完治も可能だ。

「抗ガン剤は無力だ。ガン細胞は耐性を獲得し凶暴化する」(米国立ガン研究所、デヴュタ所長)

「抗ガン剤には強烈な発ガン性があり、二次ガンを多発させる」(同研究所の報告)

「抗ガン剤二〜三剤投与で死亡率七〜一〇倍、五〜八カ月で増殖する」（米東海岸リポート）
「抗ガン剤は無効どころか有害、代替療法の方がガンを治す」（米政府ＯＴＡ報告）
「肉食中心の欧米食が、ガン、糖尿病、心臓病の最大原因だった」（マクガバン報告）
「動物たんぱくこそ、史上最凶発ガン物質。万病は植物食で改善する」（チャイナ・スタディ）
「断食こそ免疫力を高め、ガンと闘う最良の方法である」（米・南カリフォルニア大、論文）

臨床試験三分の二はインチキ

「……米国での、医学研究の大がかりなごまかしは、ほとんどすべてがロックフェラー医療独占体と、その支配下にある製薬会社の圧力によるもの。製薬会社は、新薬の認可を得るために、周到に捏造《ねつぞう》した『試験データ』を米国食品医薬品局（ＦＤＡ）に提出する。しかしデータでは、肝臓・腎臓障害や、致死性の有害副作用は巧妙に隠される」（マリンズ氏）

米政府も口先だけは「ガンとの闘い」を高らかに宣言してきた。

しかし、それはまさに口先だけだったのだ。

「……『ガンとの闘い』は、ロックフェラー独占体に完全支配されている。そのためガン研究助成金は、いつもサギ研究にのみ費やされる。皮肉屋は言う。米国ガン協会は、『私は絶対ガン治療法は見つけません』と誓約書にサインした場合のみ、助成金を支給するのだ」（同氏）

研究助成がデタラメなら、研究成果もデタラメだ。

「ＦＤＡが抜き打ちチェックすると、新薬臨床試験の三分の二以上が、捏造されていた！」（メンデルソン博士）

驚愕するしかない。つまり、患者に投与される新薬の「有効性」「安全性」の三分の二以上がペテンなのだ。

だから科学雑誌に載る〝論文〟も、ごまかしだらけ……。

ある科学者は、米人気テレビ番組『60ミニッツ』でインタビューにこう答えている。

「医学雑誌の論文を読んで信用する？　私ならよくよく読んでからにしますね。……それらは、不正なサギまがい報告だから」

学術研究もカネしだい

同じ不正は、食品添加物認可などの安全性研究でも横行している。

たとえば、人工甘味料「アスパルテーム」。その認可をめぐっては、危険性を指摘する研究者が続出した。それに反して、安全性を唱える研究者たちもいた。

これほど、賛否真っ二つに分かれた科学論争も珍しい。

ところが、その「有害論」「安全論」を精査すると、驚くべき背景が隠されていた。

その事実を暴《あば》いたのは、Ｒ・Ｇ・ウォルトン医学博士（米オハイオ医科大）。

その研究費を誰が出したか？　それで結果が二分されていた。

「……アスパルテームは安全である」＝七四論文――全研究機関がメーカーから研究費をもらっていた。

「……アスパルテームは危険である」＝八三論文――全研究機関がメーカーから研究費をもらっていいなかった。

つまり、現代においては、絶対中立のはずの科学研究もカネの力で買収されている。

わたしたちはこの事実を、ハッキリ見抜かなければならない。

本書では、マスコミが〝洗脳〟装置であることを暴いている。

同様に、学術機関も〝洗脳〟装置である。

白衣の研究者はいかにも誠実な学者然としている。

しかし、やはりカネで飼われたサギ師たちなのだ。

ジャーナリズム同様にアカデミズムも芯から腐敗している。

クスリは患者を治さず、最後は殺す

薬物療法は医学最大にペテン

本章冒頭で「クスリを飲む」のはまちがいと述べた。

これだけで、あなたは困惑、当惑、反発するだろう。

あなたは「クスリが病気を治す」と信じている。

しかし、それはまちがいだ。「病気を治す」のは、あなたの体のなかに存在する自然治癒力だ。現代医学は、ウィルヒョウ以来、その自然治癒力を黙殺している。

テレビ・新聞などのマスコミもそうだ。

医学もメディアも闇の権力の僕《しもべ》であり、走狗《そうく》なのだ。

教祖のウィルヒョウが唱えたごとく「病気を治すのは、医師、医薬、医術」と繰り返す。

そして、今度は、無知純朴な大衆を〝洗脳〟している。

つまりは、走狗が家畜を〝洗脳〟している。冷酷な牧羊犬が、従順な羊を囲い込んでいるのだ。

クスリの〝効果〟は毒物反射

●第一：毒物反射

そもそも、医薬とは何か？　その効能とは何か？

「クスリは、ほんらい毒である」

これは、医者ですら認めている。

たとえば、毒物を被験者に投与したとする。

すると、その身体は毒物に対して、生き残ろうと生理反応する。それが「毒物反射」だ。

たとえば、Aという毒物を投与した。すると、血圧が、スッと下がった。それは、まさに毒物反射だ。つまりは毒作用の一種。

しかし、研究者も製薬会社も、この結果に小躍りする。

「この物質Aには、血圧効果作用があるぞ！」

さっそく、このAを血圧降下剤（降圧剤）として認可申請。製薬メーカーは大々的に売り出し、巨額の売り上げを達成する。現在、多用されている降圧剤は、すべて、このような経緯で、医薬品に認可され、目のくらむ巨利を上げているのだ。

ばかばかしいも、きわまれり……。

●第二：副作用群

Aの毒物反射は、血圧低下だけではない。

その他、何十という毒反射の症状が出ている。しかし、医者も製薬会社も、これらには眼をつぶる。「副作用」のひと括《くく》りで片付ける。彼らが望むのは、血圧低下という〝毒反射〟だけ。それを「主作用」として、大々的に宣伝し、売りまくる。

毒物Aを投与された患者には、どんな作用が現れるか？

まず、毒反射で血圧が下がる。すると、医者は眼を細めていう。

「……クスリがちゃんと効いてますねえ」

しかし、Aには、その他何十もの毒反射がある。副作用群である。まず、無理に血圧を下げたため、認知症が出てくる。すると、こんどは医者は、認知症薬を多種投与するのだ。

降圧剤「アジルバ」の医薬品添付文書には以下の重大副作用が〝注意〟されている。

「血管浮腫《ふしゅ》」「ショック」「失神」「意識喪失」「急性腎不全」「肝機能障害」「横紋筋融解症」

……など。これだけで、あなたは背筋が寒くなるはずだ。

医者は、これらの副作用が出ると、各々〝症状〟に対応して、またもや医薬を投与する。

こうして、クスリの種類と量は、爆発的に増えていく。患者への毒物攻撃も爆発的だ。

そうして、医者と製薬会社の儲けも、また爆発的に増えていくのだ。

(注：少なくとも、自分の飲んでいるクスリの「医薬品添付文書」はネット検索し熟読すること。その副作用群に腰を抜かすだろう。それすらやらないのなら「勝手に殺されなさい」というしかない)

薬は「命の振子」を押し戻す

●第三：「命の振り子」

薬物療法の問題的は、それだけでない。

次ページの図は「命の振り子」である。下に引っ張る力が自然治癒力だ。

西洋医学の、もう一つの致命的な過ちは「病気」と「症状」を混同したことだ。
東洋医学は、「症状」を「病気」の「治癒反応」ととらえる。こちらが、正解だ。
風邪という「病気」のとき、「発熱」「咳」「下痢」などの「症状」が現れる。
それらはすべて、「風邪」を治すための「治癒反応」だ。
「発熱」は病原体ウイルスやバクテリアを殺すため、免疫力を上げるためである。
「咳」「下痢」は、病原体の毒素を排出するためだ。
どれも大切な治癒反応だ。しかし、西洋医学は、これら各々を〝病気〟とかんちがい。
解熱剤、鎮咳剤、下痢止めを処方する。
振り子は、治癒とは逆向きに押し戻される。
これが、現代医学の致命的欠点、逆症療法だ。

病気が治る「命の振り子」の仕組み

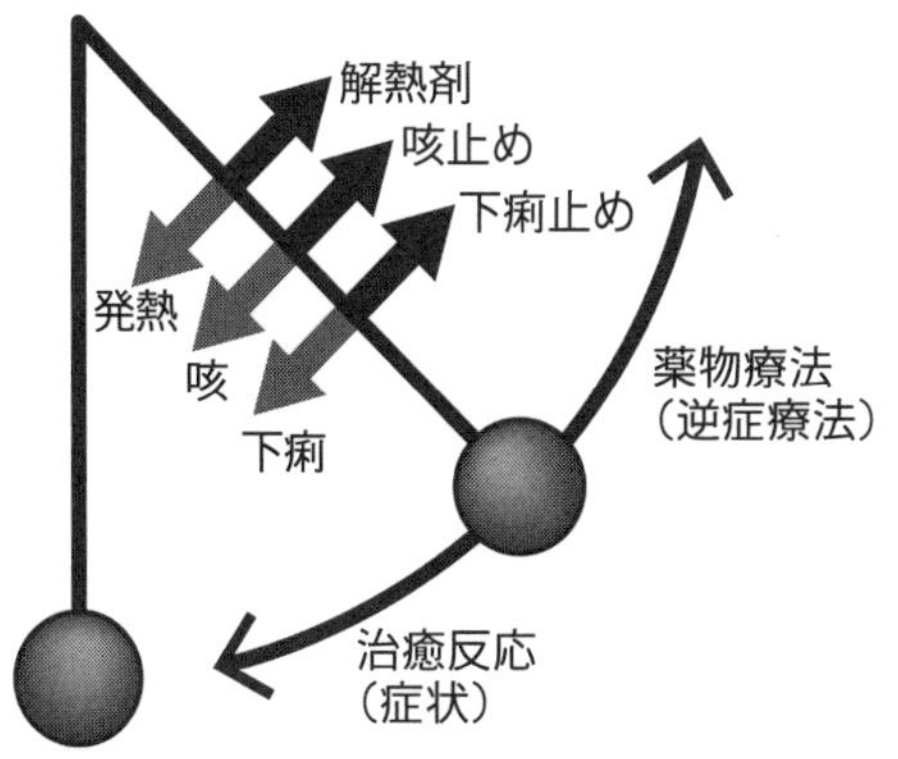

振り子はピタリ止まったまま。悪くすると押し戻されて悪性化する。

だから、薬物療法は病気を治せず、悪化させ、最後は死なせるのだ。

耐性と依存でクスリ中毒に

●第四：薬物耐性

人間の身体には、毒物への抵抗力がある。毒の攻撃にたいして、身体も必死で生き延びようとする。だから、同じクスリをとり続けていると、だんだん、〝効かなくなる〟。

それが、薬物耐性だ。すると、医者はこういう。

「クスリの効きが悪くなってきましたねえ。もう少し、量を多くしましょう」

つまり、身体に注入される毒は増量される。それだけ、生理負担も増加する。

つまり、生命力は失われ、あの世が次第に近づいてくる。

しかし、医者も製薬会社も、利益は増量されて笑いが止まらない。

●第五：薬物依存

これは、麻薬中毒患者をみれば、説明も不要だろう。

彼らは、どうしてはてしなく麻薬に手を出すのか？

禁断症状が壮絶に苦しいからだ。同じようにクスリにも、必ず禁断症状がある。

かつて、中国をアヘン漬けにした西洋列強は、それを熟知していた。

中国へのアヘン貿易で巨利を手にした。同じ策略が、医療でも行われている。

手口は、犯罪組織、麻薬カルテルとまったく同じだ。

ここで、喜劇も起こる。世界的ベストセラーの精神安定剤「ジアゼパム」の「効能」「副作用」、どちらも、トップが「不安」なのだ。

だから、飲むほど「不安」は募り、売り上げは爆発的に伸びる。

同様に抗うつ剤の副作用は「うつ」。頭痛薬は「頭痛」、目薬は「眼の充血」……。

売り上げは、永遠に増え続ける。こうなると、患者の知的レベルは、サル以下である。

日本を占領したアメリカのトルーマン大統領は、日本人を〝モンキー〟と呼び捨てた。

そして、飼いならし、奴隷とする……と宣言している。

しかし、あなたに怒る資格があるか……。

●第六：〝体毒〟＋〝薬毒〟

そもそも、病気はどうして起きるのだろう？

万病の原因は、なんだろう。

西洋医学の医者に訊くと、こう答える。

「それは、人類永遠の謎ですな」

東洋医学の医者に訊くと、明快に答える。

「それは、〝体毒〟から生じる」

ピンポーン！　こちらが正解である。

あらゆる病気の原因は、〝体毒〟に帰する。

〝体毒〟のルーツには二つある。口の毒と、心の毒である。それは過食と苦悩……。代謝能力を超えた過食と苦悩が二つの毒素を体内にめぐらす。それが「老廃物」と神経ホルモン「アドレナリン」だ。後者は毒蛇の毒素の三～四倍というほど猛毒だ。それが、体内を巡る。ムカムカ気分が悪くなり、イライラする。

万病は、これら〝体毒〟によって生じる。

だから、〝体毒〟を消せば、万病も消える。

これが、「断食」（ファスティング）で病気が治る基本メカニズムだ。

「断食は、万病を治す妙法である」（ヨガの奥義）

ところが、薬物療法は「病気」を「治す!?」のに、〝薬毒〟を投与する。

患者の体内では、〝体毒〟＋〝薬毒〟で、毒は倍増する。

これで、病気は治るわけがない。それは、子どもどころか、赤子でも判る。

しかし、医学部を出た、アタマのいいセンセイ方は、百回言っても理解できない。

首をかしげるだけ……。ロックフェラーの二世紀にわたる医学狂育の成果がここにある。

ここまで読んでも、「クスリで治った人もいるのでは？」と疑問を抱く人もいるだろう。Bというクスリを「使った」ら「治った」！。だから、「効いた」？

じつに幼稚なかんちがいだ。しかし医師もメーカーも、本気で〝効いた〟と信じている。これが、クスリの錯覚〝三た主義〟だ。この三ステップで、因果関係は、なんら証明されていない。なるほど、〝薬毒〟投与でも患者が「治る」ことはある。

それ、患者の自然治癒力が、〝体毒〟と〝薬毒〟の両者に打ち勝ったからだ。〝薬毒〟を与えなければ、より早く治ったはずだ。

さらに、これから述べる菜食や断食の食事療法を行えば、より劇的に治る。


――以上。これまで述べたことに、あなたは当惑し、反発さえ覚えるだろう。

教育も、医学も、マスコミも、まったく真逆のウソを垂れ流してきたからだ。

しかし、目を閉じれば真実は見えず、耳をふさげば危機は聞こえない。

「知らない」ことは死を招く。困惑しても、不快でも、真実から目を逸《そ》らしてはいけない。

――しかし、テレビ、新聞の使命は、真実を「隠し」、虚偽を「流し」、庶民大衆の目を「逸らす」ことなのだ。

彼らは〝闇の支配者〟には、実に忠実な下僕《げぼく》なのである。

食肉スポンサーのタブー犯せば首が飛ぶ

テレビ「肉食え！」大合唱

日本のテレビは、まさに〝洗脳〟装置そのものだ。

さらによく見ると、典型的な〝餌付け〟装置ともいえる。

海外から来た人たちは、一様におどろく。

「どうして、日本のテレビは、食べてばかりいるんですか？」

その第一の理由は、無難《ぶなん》に流せるネタは、食べ物くらいしかないからだ。

「スポンサーは、神サマだ」

スポンサーの利益（逆鱗《げきりん》）に触れる情報は、一秒でもタブーだ。

だから、大胆不敵にも（？）原発批判ネタで喝采をあびた漫才コンビ、ウーマンラッシュアワーはテレビから完全に干された。〝闇の力〟によって追放された。

東電など大手電力会社は、テレビ局にとっては、大のお得意様だ。大の神サマなのだ。

その神様のご機嫌を損ねる漫才など、彼らは顔が引きつるだろう。

しかし、そこでビビっては、いけない。萎縮してはいけない。

若者たちに必要なのは、何者も恐れぬ正義感だ。勇気だ。行動だ。

わたしは、彼らウーマンラッシュアワーを心のそこから支援したい。後に続く、〝戦う芸人〟に期待したい。

ほんらい、お笑いは権力をネタに笑わせるものだ。古典落語など、そうだ。

そこに登場するお侍やお殿様は、まさに笑いのタネだ。大名は、例外なくバカ殿である。

庶民は、その赤裸々な姿を腹のそこから笑い、溜飲を下げたのだ。

「脂身はボクの主食でぇーす！」

話をもどして、テレビによる食べ物〝洗脳〟だ。

呆れるのは、あらゆる番組に共通する「肉食え！」のロコツな餌付けである。

バラエティに登場するタレントも、〝洗脳〟に動員される。

食レポーターの石塚クンなど、トロンとした眼でこういうのだ。

「脂身は、ボクの主食でぇーす！」

食バラエティ番組でも、食レポでも、これでもか、というくらいに肉料理が登場する。

さらに、NHKなどの料理番組でも、必ず料理人は、こういう。

「ここで、お肉を加えましょうね」

さらに流れるCMがマックのハンバーガー、KFCのフライドチキン、さらに、伊藤ハムのCMでは、松本幸四郎が「お世話になったあの方に」、お歳暮にはハムの詰め合わせ！

チャンネル回せば、吉野家、牛丼キャンペーン……とキリがない。

明治牛乳からピザハットまで、牛乳飲め！　とろけるチーズ！　宅配ピザを！

眼がまわるほど、次から次に、にぎやかなＣＭがくりかえされる。

ということは、テレビ局は、これら〝神様〟スポンサーの売り上げを減らすようなニュースや話題は一秒たりとも流せない……。

もし、タブーを犯せば……。

そのときが怖い。確実に、左遷される。クビになる。毎日新聞Ｔ記者の災難を見よ。

しかし、海外では地殻変動のような動きが起こっている。

世界に完全菜食（ヴィーガン）が急増している

菜食、少食はマスコミのタブー

ヴィーガンが一〇年で一〇倍増もの勢い――。

これが、欧米で起きている。

といっても、日本人には「ヴィーガン？　何それ？」だろう。

日本は、あらゆる情報で、世界の落ちこぼれだ。これは、完全菜食者という意味だ。

ベジタリアン（菜食主義者）と、言ってもランクがある。

①セミベジタレアン（肉は食べないが、魚などは食べる。古来の日本人）
②ラクト・ベジタリアン（肉、魚、卵は食べないが、乳製品は食べる）
③オボ・ベジタリアン（肉、魚、乳製品は食べないが、卵は食べる）
④ヴィーガン（動物性食品はいっさい口にしない）

あなたは、このランキングも「初めて知った」はずだ。

なぜなら、この日本では、ベジタリアンについての話題すら、マスコミではタブーなのだ。スポンサー食品会社が〝迷惑〟するからだ。はやくいえば、売り上げにひびく。

ちなみに、ファスティング（断食・少食）の話題もご法度。そもそも「食べない」「少ししか食べない」など、食品産業にとっては、論外だろう。

友人に食品関連会社の社長がいる。一日一食だ、とわたしが言ったら本気で怒った。

「バカヤロウ！　一日一食なんて、食品産業にとっては、致命的だぞ」

なるほど、ごもっとも……（苦笑）。

だから、彼の前では断食の話題などは、さけるようにしている。

魔王が死に光が差し始めた

ところが、日本だけは、井の中の蛙《かわず》。

世界の変化は急激だ。とりわけヴィーガンの増加は眼を見張る。

その大きなきっかけは、二〇一七年三月、ディビッド・ロックフェラーの死ではないか。享年一〇一。彼の別名は〝地球皇帝〟。二一世紀の地球を陰から支配し、操《あやつ》ってきた男として、あまりに有名だ。

わたしは、その死の影響を『魔王、死す』（ビジネス社）にまとめた。

彼は国際秘密結社イルミナティの〝双頭の悪魔〟の一翼だ。

世界の金融、外交、軍事、政治、医療、エネルギー、メディア……そして、食糧、ありとあらゆる利権を支配してきた男が死んだ。

つまり、タガが外れた。

だから、これまで隠蔽、弾圧されてきた情報が一挙に噴出してきた。

医学も、栄養学もそうだ。それまでの肉食礼賛の〝洗脳〟が、いっきに解けてきた。

日本だけが、おいてけぼりだ。

「食事療法で病気を治す」。ひと昔前なら、そんな人間を魔王は絶対に許さなかった。じっさいに、おびただしい数の人々が、暗殺されてきた。

しかし――。

魔王が死んだ。天空を覆う恐怖の黒雲は次第に影を潜め、雲間から光が差し始めた。

「肉に最凶発ガン性」WHO発表の衝撃

加工肉は最悪発ガン食

いっきょに噴き出した「食のタブー」とは何か？

それは、動物食品《アニマルフード》の底知れぬ危険性だ。

それまでも、魔王が老衰することで、タブーの堤《つつみ》は破れつつあった。

その典型が、二〇一五年、WHO（世界保健機関）による衝撃発表である。

「……ハム、ベーコン、ソーセージなど加工肉は、五段階の発ガン性評価で最凶である。それには、アスベスト並みの発ガン性がある」

さらに、ショックは続く。

「赤肉も発ガン性がある。それは上から二番目の強さである」

ニュースは衝撃波となって世界中を駆け巡った。

しかし、日本の新聞でこのビッグニュースをまともに取り上げたのは東京新聞くらいだ。

第一報に震撼したマスコミ各社は、激震が通り過ぎるのをひたすら待った。

以来、日本のメディアは、いっさい、この話題には触れない。

わたしは、国連機関のWHOが、食肉発ガンリスクを公表したことに驚いた。

その内容は、半世紀も前からベジタリアンの間では〝常識〟だった。

漢字の「腐」という文字がすべてを物語る。

「腑」つまり「消化器」の中に「肉」が入ると「腐る」。

そのとおり。

肉類をはじめとする動物たんぱく質は、腸内悪玉菌の大好物。やつらは「肉」をエサにして大増殖して、アミン類、インドール、スカトール、アンモニアなど、猛毒、発ガン物質を排泄する。それが、まず腸壁を刺激する。だから、アメリカに渡った日系人の三世の大腸ガン死亡率は、母国日本の五倍にも達する。

さらに、発ガン物質は腸壁から吸収されて、全身をめぐる。

だから肉食者は、あらゆる発ガンリスクが高まる。

さらに、心臓病や糖尿病リスクは、跳ね上がる。

わたしは、ズバリ、『肉好きは8倍心臓マヒで死ぬ』（共栄書房）という本で、その害を警告している。アメリカ屈指の疫学調査で、ふつうの肉食中心のアメリカ国民は、完全菜食のヴィーガンにくらべて八倍も心臓病で死亡していることが証明された。

さらに、ほぼ毎日、肉料理が食卓に上るような人は、糖尿病死亡率は三・八倍だ。

サル、イノシシ……のどか過ぎる話題

これら、数値に驚いてはいけない。

アメリカ人男性の心臓マヒの死亡率は、中国農村の男性の一七倍にも達していた。

さらに、女性の乳ガンは、中国女性の五倍……（「チャイナ・スタディ」）。

これら、衝撃的ニュースは、NHKニュースのトップに流れてもおかしくない。

新聞のトップ記事となるべきだ。

国民の健康を第一に考えるメディアとしては、当然のことだ。

しかし、これら情報を、すべてテレビ、新聞は圧殺した。

それは、あまりに見事なほどだ。そうして、「街にサルが出た」「イノシシが出た」などというドーデモいい、のどかな、まぬけな、愚かな話題で貴重な電波をムダ使いしている。

牛乳、チーズ、乳製品に三五もの乳害

発ガン、骨折、早死に、犯罪

危険なのは肉類だけではない。完全栄養と思われてきた牛乳、チーズ、乳製品も、危険な食品だった。あなたは、またもや絶句だろう。
詳細は、拙著『牛乳のワナ』（ビジネス社）を手にとってほしい。
テレビや新聞で、ぜったい知ることのない情報を満載している。
牛乳、乳製品が引き起こす病気は、なんと三五項目にも上った。
——以下、乳害三五連発をあげる。

①乳児死亡　②牛乳アレルギー　③乳糖不耐症　④貧血
⑤発ガン性　⑥乳ガン　⑦前立腺ガン　⑧卵巣・精巣ガン
⑨白血病　⑩アテローム血栓症　⑪心筋梗塞　⑫脳卒中
⑬糖尿病　⑭骨粗しょう症　⑮骨折⑯結石　⑰虫歯
⑱多発性硬化症　⑲筋萎縮症（ALS）
⑳リウマチ性関節炎　㉑クローン病　㉒大腸炎
㉓白内障　㉔不妊症　㉕早死に　㉖脳出血
㉗虫垂炎　㉘にきび　㉙発達障害　㉚自閉症
㉛犯罪　㉜うつ病　㉝認知症　㉞肥満症
㉟慢性疲労症候群

いかがだろう? 牛乳・乳製品がもたらす害に絶句されたはずだ。

これらは、すべて学術論文・報告をエビデンス(証拠)としている。

だから、反論の余地はない。

NHK『だましてガッテン』

しかし、これら膨大な〝牛乳のワナ〟をテレビ、新聞はすべて黙殺し、隠蔽《いんぺい》してきた。

なぜなら、スポンサーである雪印や森永が〝迷惑〟するから。

たったそれだけの理由で……! 彼らは視聴者も読者も裏切っている。

NHKも同罪だ。これらを、人気番組『ためしてガッテン』で、やったことが、一度でもあるか?

まさに、その正体は『だましてガッテン』なのだ。

だから、わたしは受信料の不払いを続ける。

一九九八年、科学誌『ランセット』もこう警告している。

「……牛乳を多く飲むと、乳ガンになるリスクが七倍、男性は前立腺ガンの危険が四倍となる。チーズも有害である。前立腺ガンリスクは八倍となる」

牛乳、チーズは完全栄養のはず……と、あなたは呆然とするだろう。

これぞ、政府と結託したメディア〝洗脳〟の結果なのだ。

「見ざる」「言わざる」「聞かざる」⁉

「いや！ 聞きたくない」

さて——。

科学的証拠を満載して肉食や乳製品の害を具体的に挙げても無意識に拒絶する人も多い。

「いや！ そんな話やめて！」「聞きたくない！」

耳を覆《おお》う。目を閉じる。その気持ちもよく判る。

人は自分の好きなものをけなされると不快になる。

ムカツく。それは、いたしかたない生理現象だ。

だから、先述の『肉好きは8倍心臓マヒで死ぬ』なんて、そのものズバリの本など、表紙を見るのもイヤ。ページをめくるどころか、投げ返したくなる。牛乳大好きな人にとっても『牛乳のワナ』なんて本は、見たくもないだろう。

だから、不快になる。これから先は、どうしようもない。

「縁なき衆生《すじょう》は度しがたし」。仏教用語だ。……言っても聞かない人は救えない……という意味だ。これも運命……騙され、信じて、死ぬのもまた……その人の運である。

無知は自己責任だが、無知を選択する権利もあるのだ。

イエロー・モンキー〝三猿の愚〟

しかし、「見ざる」「言わざる」「聞かざる」という。

これは、かつて封建制度の中での庶民の処世訓でもあった。

権力者の為《な》すことは、知らぬふりをしておれ。うかつに触れると後の祟《たた》りが怖い。

しかし今は封建の世でない。なのに日本人には、いまだかつての処世グセが残っている。

長い物に巻かれろ。寄らば大樹の陰。出る杭は打たれる。

さらには、知らぬが仏……という教えもある。

こうして、目を閉じ、耳を覆い、口を塞ぐ。

それが、いまだ日本人の多くの〝処世術〟である。

しかしそれは、あまりに危うい。

これまで、読んできたあなたも、うなずくだろう。

今は、のどかな封建時代ではない。世界情勢の変化は、急激だ。

そんなときに、目も口も耳も塞いで、生き残れるわけがない。

なのに、日本人は、そんなことすら判らない。

だから、トルーマン大統領は、日本人を「イエロー・モンキー」と蔑《さげす》んだのだ。

しかし、〝三猿の愚〟のポーズをとる日本人の姿は、まさにモンキーそのものだ。

古代の剣闘士も菜食主義だった！

剣士たちは大麦が主食

それでも、肉食者（ミート・イーター）たちは主張する。

「……古代、人類は狩猟民族だった。だから、ほんらい人間は肉食者だ」

これも、最新研究で、完全に否定されている。

以下、ドキュメント映画『ゲーム・チェンジャー』の興奮するリポートだ。


――トルコ、エフヌァソス地方で巨大円形競技場の遺跡が発掘された。

そこには、多くの剣闘士が埋葬されていた。六八体の遺骨が考古学者により復元された。

その分析を進めた結果、驚くほど骨密度が高かった。

それは激しい訓練と良質な食事で強い筋肉と骨格が培《つちか》われた証しだ。

「……剣士たちは〝ホーディアリ〟と呼ばれていました。それは〝大麦を食べる人〟という意味です」（ファビアン・カズン法医学博士）

骨のストロンチウム値で食事の内容を分析した結果、驚愕事実がわかった。

「……剣闘士の多くは菜食主義だったのです！　格闘家のプロが菜食だったとは」（同博士）

それまでの「栄養学の常識」を、根底からくつがえす。

かつては「強い男は肉を食べる」と考えられてきた。小さな子でも、こう答える。

「……スーパーマンは、肉を食べるんだよ。ぼくも強くなるため、ラムチョップとか、卵とか食べて、牛乳を飲むよ」

これぞ、〝闇の支配者〟による二世紀間にもわたる〝洗脳〟の成果である。

人類の祖先はベジタリアン

ハーバード大学リチャード・ランガム博士（自然人類学）は指摘する。

「……人類の祖先は肉食だったと、結論しがちです。だが、考古学での評価とちがい、草食のほうが重要でした。菜食は場所を選ばず、食料を当てにすることができます」

古代の剣闘士と同じように、人類の祖先も菜食だったのだ。

「……肉食説は、二〇世紀前半に盛んに言われていました。さまざまな古代遺跡が発見され、発掘された動物の骨と道具から、肉を処理していた、と考えたのです。このように早くから肉食説があったわけですが、それは事実ではなかった」（ナサニエル・トミニー博士、ダートマス大学、人類学）

古代狩猟、肉食ではなかった……？

あなたも意外に思われるだろう。

「……道具と動物の骨にばかり注目した過《あやま》ちでした。考古学の偏見が事実を曲げたのです。〝時間〟が問題です。骨や石器の保存状態にくらべ、植物はすぐ腐敗します」（クリスチーナ・ワーリナー博士、マックスプランク研究者、考古遺伝学者）

同博士によれば、微細な植物の化石で、人類の祖先が、食生活が特定されるという。旧石器時代の遺跡には、さまざまな植物の痕跡が残っていた。

「……テクノロジーの進化のおかげで、古代人の道具や骨や歯の進化の分析が進みました。そして、判ったことは……なんと祖先は、草食に近かったのです！」（同博士）

博士の論文タイトルは『人類の祖先は、ほぼベジタリアン』。

ワーリナー博士は断言する。

「……遺伝子学的にも身体構造的にも、人間は肉食に適していません。植物の消化吸収に適応しているのです。肉食動物にくらべて消化管が長いので、植物を消化できます」

人間の消化管は、トラやライオンなど肉食獣より四倍も長い。

これは、穀物などをゆっくり消化吸収するためだ。

「……人間はビタミンCを自分で合成できません。ビタミンCは植物に含まれています。これは、人間が植物を必要とする理由です。それに対して、肉食動物は二色視です。新鮮な果物を見つけるには、色が見えることが重要です。だから、人類は三色視なのです」（同博士）

さらに、マーク・トーマス博士（ロンドン大学、遺伝学者）は強調する。

「……脳は、ブドウ糖を必死で求める。唯一のエネルギー源だからね。しかし、肉は良い供給源ではない。別のものを食べなければダメ。効率良く摂取するには、糖質が一番です」

さらに、肉食獣と人類との歯を比較する。

「……肉食動物の歯は、ハサミの刃のような形です。しかし、人間の歯は尖っていない。植物繊維向きです。自分たちの歯が良い証拠です。肉食には向いていません」

映画『ゲーム・チェンジャー』も、こう結論づける。

「……すべてが、つながった！　動物食品が問題なのは、体に合っていないからです。まちがった〝燃料〟なのです」

動物たんぱくは、史上最悪の発ガン物質

血管が詰まってポックリ死

「……まちがった燃料ではすまない」

牛乳やチーズで、乳ガンや前立腺ガンが四～五倍に激増する。

肉食で大腸ガンは五倍だ。さらに、心臓病マヒ死は八倍……。

まず、心臓病が増える理由は、シンプルだ。

肉に含まれる脂肪やコレステロールなどが、脂汚れとなって、血管内に沈着する。

それが、しだいに血管を詰まらせていく。これがアテローム血栓症だ。ちょうどバウムクーヘンのように血管を塞いでいく。怖いのはカケラがはがれたときだ。これを「プラーク崩壊」という。冠状動脈に詰まれば、心筋梗塞。脳動脈に詰まれば脳梗塞か脳出血。いずれも致命的だ。いわゆるポックリ病。

このアテローム血栓症による死者はガン死より多い。人類の二五%。四人に一人は、これで死んでいる。ちなみに、野生動物には、この症状はゼロである。

人類は、地球上でもっともオロカな動物である。

たんぱくでガン制御が可能

「……動物たんぱくは史上最悪の発ガン物質だった」

ショッキングな報告は、コリン・キャンベル博士（米コーネル大学、栄養学）。

動物たんぱく（カゼイン）を一〇%から二〇%に増量すると、実験動物（マウス）のガンは九倍に激増した。しかし、植物たんぱく質には、そのような変化は見られなかった。

「……明らかに、動物たんぱく質には発ガン性があります。それは、史上最悪といってよい」（同博士）

これは、驚嘆すべき発見である。

従来の栄養学が、最高の栄養源として推奨してきた動物たんぱく質の正体が、史上最凶の発ガン物質だった……。

ＷＨＯ（世界保健機関）の発表は、このキャンベル博士の実験結果を裏づけるものだ。

ついで、博士は、次のような実験を行った。

「発ガン物質アフラトキシンを与えたマウスに、牛乳たんぱく（カゼイン）を二〇％投与しました。すると、マウスは驚くほど発ガンしました」

それに対して、五％投与群は変化しない。ところが牛乳たんぱくを四倍与えると、ガンはけた外れに増殖した。

「……つぎに、カゼインの量を増やしたら、減らしたりしてみました。すると、動物たんぱくを増やすとガンも増え、減らすとガンは縮小したのです。驚きました。動物たんぱくを減らすことで、ガンをコントロールできるのです」（同博士）

ヴィーガンで万病が消える

——以上を結論づける。

現代人を苦しめる万病の原因は、ほんらいの自然に反する動物食《アニマルフード》だった。

だから、植物食（プラントフード）にシフトするだけで、病気が治る！

原因を取り除けば、治るのはとうぜんだ。

それは、治療法と呼べるものではない。ほんらいの理想の食にもどるだけだ。

こうして、ヴィーガン療法は、世界で目を見張る成果を上げている。

「……食べたいものを我慢するのは辛《つら》い」「ヴィーガンなんてやりすぎだ」

そういう批判もある。するとエセルスティン博士（前出）は、ヤンワリと、こう諭《さと》す。

「……身体を真っ二つに切り開いて、脚から取った血管を心臓に縫い付ける。こちらの手術のほうが、やりすぎではないですか？」

世界で爆発的にヴィーガンが急増している。

〝闇の権力〟によるタブーがついに破れたからだ。

これまで述べたような情報が日常的に、大衆に伝えられるようになった。

だから、目覚めた大衆の肉食ばなれが急速に進んでいる。

あの筋肉俳優シュワルツネッガーですら「アイ・アム・99％ヴィーガン！」と親指を突き出し、胸を張る。

しかし、例外の国もある。それが、日本だ。

これら、健康情報が完璧に閉ざされている。

日本の「情報自由度」は、世界で七二位。アフリカのタンザニアより下なのだ。

それでも日本の国民は慌《あわ》てない。のんびり、今日も〝平和〟に過ごしている。

自分たちが、そんな超低レベルのクニに生きていることなど、まったく知らない。

まさに……知らぬが仏……である。

【第四章】

〝陰謀論〟で目をふさぎ、〝都市伝説〟で耳ふさぐ

――明治天皇すりかえ、ＪＡＬ機撃墜、９・１１……

ジャーナリストたちよ、真実を掘り起こせ！

マスコミ人の逃げ口上

「それは陰謀論だね……」

マスコミ人は、二言目には、こう言い冷笑を浮かべる。

彼らが「書かない」ことの言い訳に使う決まり文句だ。

同じ逃げ口上に都市伝説がある。

「それは、けっきょく都市伝説だろ」

やはり、皮肉な笑みを浮かべている。

わたしは、――縁なき衆生《すじょう》は度しがたし――と書いた。

同じ論法、――勘なき記者は度しがたし――。

「勘」とは「直感」のことである。知識より感性にもとづく判断だ。

わたしが畏敬してやまない国際的ジャーナリスト、ユースタス・マリンズ氏が一九九六年、来日したとき講演を聞いたことがある。

彼は、身ぶりをまじえて、こう語りかけた。

「ジャーナリストとは、考古学者に似ている。隠された真実を掘り起こすのです」

「ディグ・アップ！　ディグ・アップ！（掘って、掘って……）」
壇上の身ぶりを思い出す。
「権力者たちは、見られて困るものを地中に埋めて隠す。それを、ひたすら、掘り起こし、人々に示すのです」（マリンズ氏）
わたしは、感動した。彼のように生きようと思った。

「陰謀論には根拠あり」（五木寛之氏）

大作家の鋭い告発に感銘

「……陰謀論には、根拠がある」

文壇の大家、五木寛之氏はこう断言する。

さらに、以下、こう綴っている（『日刊ゲンダイ』二〇一七年四月二二日、「流されゆく日々」）。

――陰謀論というのは、もっぱら批判の言葉として使われるばあいが多いようだ。

「それは陰謀論だ」というときの感覚には、安っぽい、学問的ではない、為にする情報操作である、などという蔑視の姿勢があるといっていい。

「あの男は陰謀論者だ」「あの説は陰謀論だ」と、レッテルをはってしまえば、ほとんど反論したり、批判したりする必要さえ無い雰囲気がある。（中略）また、「陰謀論者」という烙印を押される論客も少なくない。論じていることが客観的な事実であっても、「陰謀論者」の仕事は、常に色眼鏡で見られることが多い。そもそもオーソドックスな学者、批評家からは相手にされないのだ。

「それは陰謀論だ」というレッテルは、ジャーナリズムの上でも、すこぶる強力な否定語である。ルール違反だから、同じフィールドにあげることはできない、という発想である。

わたしはマスコミで名をなした五木氏が、淡々と陰謀論批判を、〝批判〟していることに、感銘を受けた。

私たちは大きく騙されている

五木氏は、そして、こう続けるのだ。

――ざっくばらんに言ってしまえば、「陰謀論」というのは差別用語である。人は自己中心的であり、愚かしい動物である。現代人がどれほど残酷でありうるかは、アウシュビッツを引き合いに出すまでもない。二〇世紀にくり返された人間破壊、民族破壊をいちいち挙げていれば、百指をもってしても、足りないだろう。

「陰謀論」には根拠があるといっていい。

アメリカは戦争で成り立っている国である。それも自国内ではなく、外国を舞台に行われる戦争でなくてはならない。

そこで陰謀の出番である。戦争には陰謀論がつきものだ。欺し打ちで勝つのが、一番効率がいいのだ。明治時代は、国際的な陰謀が横行した時代だった。さらに、二〇世紀の戦争となると、これは、もうインテリジェンス（情報戦）の攻防である。ドンパチだけが戦争ではない。外交も、経済も、文化も、すべて総力戦の一環である。

表通りの戦争論、カマトトぶった現代史は、そろそろ願い下げにしてもらいたいものだ。ひょっとしたら、私たちは、何か大きく騙されているのではないか。体制も、反体制も、ひっくるめて、報道されている事は、事実とちがうのではないか。そう思う人が、少しずつ増えているような気がしてならない（以上、引用）。

フリーメイソン等の否定はもはや駄々っ子

「聞きたくない！」と絶叫

五木氏の言説は正しい。

私たち人類は、大きく騙されてきた。そして、今も騙されている。

だれから？　それを、私は本書では〝闇の支配者〟などと表している。

その正体も明記してきた。国際秘密結社フリーメイソンであり、その中枢を支配するイルミナティである。ロスチャイルド、ロックフェラー両財閥は、その〝双頭の悪魔〟である。

ここまで書いた時点で、陰謀論アレルギーの人は、肌に粟を生じるだろう。

大慌てで耳をふさぎ「聞きたくない！」と、絶叫するだろう。

「そんなのウソだ！　ありえない」

そういう輩《やから》は、無視するというより、もはやケイベツする。哀れみすら感じる。

それは、まさに駄々っ子の姿だからだ。

テレビ、新聞、マスコミの記者のほとんどが、このアレルギー体質に冒されている。

そして「陰謀論は嫌いだ。相手にしない」とうそぶく。これは、逆である。

こちらが、相手にしないのだ。駄々っ子を相手にしているヒマなどない。

マスコミは駄々っ子だらけ

しかし、困ったことに、マスコミは駄々っ子だらけだ。

かれらは、ぬるま湯の世界に生きている。なんとも快適で、日々是好日《にちにちこれこうじつ》である。

しかし、外界ではすさまじい嵐が起こってきた。想像を絶する事件が頻発《ひんぱつ》してきた。

しかし、ぬるま湯に守られたマスコミ人は、それには気づかない。

そして、外界の真実を告げると、「それは陰謀論だね」と湯船のなかで耳をふさぐ。まさに、度しがたし。

「フリーメイソン？　たんなる友好団体でしょう」

こういう〝識者〟は、頭の中身を疑ったほうがいい。

あるいは、その本人がこの結社の一員である可能性が高い。

アレルギー体質のマスコミ人は、これらの単語で発症する。

私が畏敬する論客ベンジャミン・フルフォード氏は、笑いながらこう言った。

「あのネ……陰謀論という言葉も、〝かれら〟が作ったのよ。『それは信用できない』と思わせるためにネ」

なるほど、敵もたいしたものである。

そして、たいていマスコミ人は「フリーメイソンなんて陰謀論でしょ」と笑う。

「都市伝説に付き合ってられませんよ」と、肩をすくめる。

この浅薄記者に聞いてみるがいい。

「フリーメイソンについて書いた本、読んだことありますか？」

すると、前髪かきあげながら、このバカ記者は、こう答えるだろう。

「読む必要ないっすよ。どうせ都市伝説でしょ！」

本の一冊も読まないで……。まさに、底無しのバカである。

フリーメイソンとイルミナティとは?

「戦争」「革命」仕掛けた奴ら

私は拙著『維新の悪人たち』(共栄書房)の冒頭で、こう書いた。

「フリーメイソンは、もはや〝秘密〟ではない。――『戦争』と、『革命』を起こしてきた〝奴ら〟。真の権力者たちは、〝闇〟に潜んでいた」

その副題――「明治維新」は、「フリーメイソン革命」だ!――。

内容は「国際秘密結社フリーメイソンが仕組んだ『明治維新』衝撃の真実を暴く。……伊藤博文による孝明天皇暗殺、明治天皇すりかえ説、近代史の二大スキャンダルの〝闇の支配者〟に迫る!」(同書帯より)

左ページの図は、フリーメイソン組織の概略である。

じっさいは、少なくとも三三位階あるという。

このピラミッド構造がいかに複雑精緻かが窺《うかが》われる。

そして、一つ階層がちがうと、もう自分の位置がわからなくなる。

下層に「ホワイトメイソン」会員として「ロータリー・クラブ」「YMCA」などがあることに驚く人も多いだろう。

メンバーは善良な人たちばかりだ。しかし、上部は明らかにフリーメイソン組織に組み込まれている。

中段に共産主義とあり、ビックリするはずだ。

じつは、始祖のカール・マルクスもメイソン会員だった、という。著書『資本論』が大ベストセラーとなったのも世界中のメイソン・ネットワークのなせる業《わざ》だろう。

共産党の方など、衝撃を受け、憤激するだろう。それも理解できる。

しかし、冷静に現実を直視すべきだ（〝かれら〟が共産主義

日本人がまるで知らない「フリーメイソン組織」

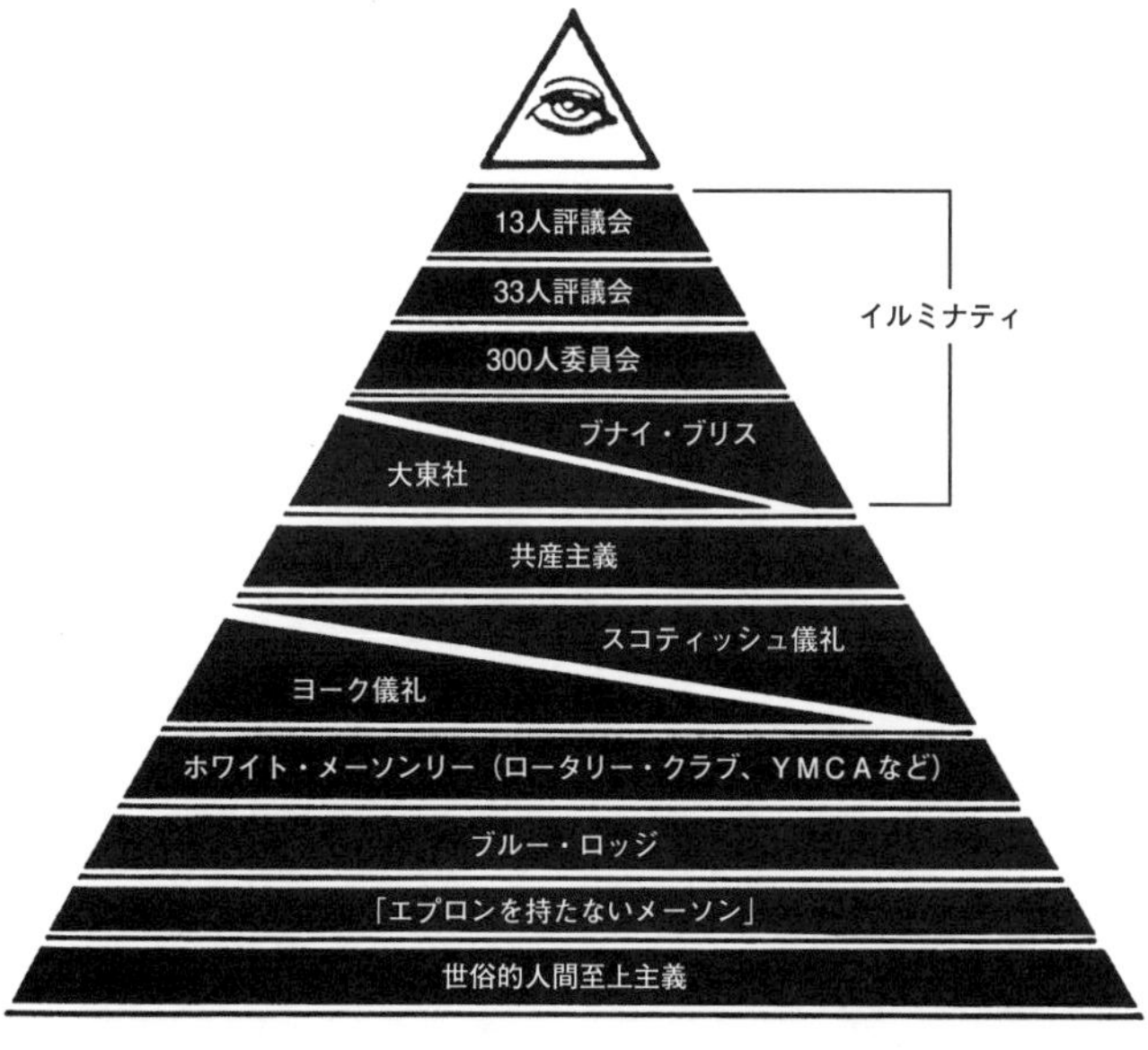

を育てたのは、地球を二大イデオロギーで二分、対立させ、両者に「金融」で貸し付け、「武器」を売りつけて稼ぐためである）。

イルミナティの誕生

ピラミッド上層に「イルミナティ」とある。つまり、国際秘密結社は二重支配構造になっている。トップの「13人評議会」とは、世界の一三大富豪の一族で構成される。ロスチャイルドとロックフェラーは、そのツー・トップである。

研究者によれば、フリーメイソンの淵源《えんげん》は、BC三〇〇〇年の古代エジプトまでさかのぼる、という。それが、さまざまな変遷を経て、連綿として続いてきた。

そして、〝かれら〟は中世の石工組合に忍び込み、それを乗っ取った。

だから、体裁は職能組合（ギルド）を装っている。

そのフリーメイソンをさらに乗っ取ったのがイルミナティだ。

一九七六年、ドイツ南東部で発足。創始者は、イエズス会、元神学者アダム・ヴァイスハウプト。弱冠二八歳。「自由と平等の世界創造」を訴え、急速に拡大した。

その主張は反キリスト教であったため、一七八四年、禁止令が発布され、八六年には〝消滅〟した……と、思われた。

しかし、彼らは伝統的な秘密結社フリーメイソン内部に深く潜入して、生き延びた。

こうしてピラミッドは二重構造になったのだ。ちなみにイルミナティのマークは、三つの一つ眼が手のひらで三角に囲われており、なかなか不気味である。

初代ロスチャイルド、世界征服二五戦略

ゴイム(獣)の文明を破壊

若きヴァイスハウプトは、秘密組織の表の顔であった。じつは、後に真の創設者が控えていた。それがマイヤー・A・ロスチャイルドである。

ロスチャイルド家はユダヤ系金融業者で、当時ですら欧州一の資産家だった。

マイヤーこそ地球を闇から支配してきたロスチャイルド超財閥の始祖の名にふさわしい。

彼はイルミナティ創設に先立つ一七七三年、野望に満ちた会合を招集している。

欧州全体からフランクフルトに、一二人の実力者を招いて秘密会議を主宰した。ときにマイヤー三〇歳の若さだった。

そこで、提起された文書がある。まず題名に驚嘆する。

「世界革命と行動計画」――。

そこに書かれているのは「地球を支配し統一政府を作る」という、恐るべき戦略二五項目だった。

「世界統一政府のため、あらゆるレベルの社会、政府に工作員を潜入させる。そして、ゴイムの文明を破壊しなければならない」（第二五項）

ここでいうゴイムとは「獣」という意味だ。

ユダヤ教は、異教徒を「ゴイム（獣）」と呼んで蔑《さげす》んだ。

つまり、それは人間ではない。「獣」を手なずけて「家畜」とする。

従わない「ゴイム」は、屠殺すればいい。相手は、もともと獣なのだ。

これが、〝かれら〟の発想なのだ。

二五〇年来の人類支配野望

ロスチャイルド財閥は、約二五〇年前から、すでに世界征服を計画していた！

イルミナティは、そのための秘密結社である。

この極秘戦略会議から三年後に、創設されている。むろん、巨額の活動資金が注ぎ込まれた。それを指示したのが、若きマイヤー・ロスチャイルドであった。

「計画書」には、彼らの謀略が明記されている。

「フリーメイソンに潜入せよ」「この秘密結社すべてを利用せよ」「メイソン内部に我々の組織を作るのだ」

イルミナティ創立の三年前に、すでにフリーメイソンへの潜入を計画していたのだ。

この「戦略書」には、とんでもないことが平然と書かれている。

①人間を支配する最善の方法は暴力とテロである。
②正直さではなく狡猾《こうかつ》さこそ支配者に必要である。
③統一政府に至るにはあらゆる手段を正当化せよ。
④強者の権力で秩序を粉砕し、全てを再構築せよ。
⑤群集心理を利用して、大衆の支配権を確立する。
⑥飲酒、ドラッグ、退廃的道徳などで堕落させよ。
⑦賄賂もペテンも裏切りも、目的達成には必要だ。
⑧ありえない自由・平等・博愛で、ゴイムを洗脳。
⑨恐怖支配により手っ取り早く大衆を服従させよ。

……ただただ、呆れ果てる。

かれら（イルミナティ）は、以来、二世紀半にわたって、この戦略で人類を〝洗脳〟支配してきたのだ。

近代から現代にいたる歴史をふり返れば、さもありなん、と思うしかない。

工作員あらゆる分野に潜入

彼らの二五戦略には、大衆〝洗脳〟の方法論も書かれている。

「……政治・経済・財政の助言者の仮面をかぶった、われわれの工作員が、秘密外交で命令を実行に移し、すべての国家を支配していく」

これは、テレビや新聞に登場する教授、識者、評論家などが、該当するだろう。

したり顔で語る彼らは、〝工作員〟の可能性がある。

「……工作員は、仰々しい言い回し、大衆受けするスローガンを唱えるよう訓練されなければならない」

すぐにヒトラーやスターリンなどを、思い浮かべる。

彼らは、英国の極秘スパイ養成機関で一時、教育を受けていたことが暴露されている。

口先男の安倍晋三首相も、イルミナティの使いっ走りだ。

「……最終目的の世界政府に到達するまでに、ゴイムの財産を奪い取り、富を蓄積しなければならない」

今や、一％の富裕層が、残り九九％より富を所有する。

それも、彼らが統一政府を樹立する手段なのだ。

戦争はビジネス！ 世界大戦まで計画実行

ゴイムに殺し合いをさせる！

「……ゴイムたちに殺し合いをさせよ！　そのために、大規模の軍事増強が必要となる」

これぞまさに、世界大戦だ。

じっさい、第一次、第二次大戦も、このイルミナティの戦略により、仕掛けられたのだ。

一八七一年、フリーメイソンの黒い教皇として知られるアルバート・パイクはイタリア、メイソンの首領（ドン）、マッツィーニに次のような書簡を送っている。

「……これから起こる三つの大戦は、〝メイソン計画の一環〟としてプログラムされたものである」

そこには、第一次、二次そして三次大戦を具体的に予言している。

そして、驚くべきことに、二つの大戦は、その通りに起こったのだ。

第三次大戦も「（中東で）シオニスト（イスラエル）と、アラブ人との間にイルミナティのエージェントによって、引き起こされる」と記述していた。

さらに、こう続ける。「それによって紛争が世界的に拡大して大衆はキリスト教に幻滅、ルシファー（堕天使）に心酔するようになる」

その予言もまた、恐ろしいほどに的中している。つまり、それは「予告」なのだ。その通りに計画されているのだから、当然だ。

つまり、〝かれら〟には世界大戦すら自在に起こす、恐るべき力がある……ということだ。

〝かれら〟が戦争を好む理由もシンプルだ。

メイソン主要会員はユダヤ金融業者か、武器商人たちだ。戦争こそ金融と武器の稼ぎ時だ。ロックフェラー財閥などは金融と武器のダブルで稼いできた。

メディアを利用し大衆を洗脳、白痴化せよ

戦争、革命、暴動を起こせ

これら秘密結社の暗躍に不安を覚えた人びとも多い。

イギリスの著述家ネスタ・ウェブスター女史は、著書の中でこう記している。

「……世界史上の出来事は、すべて秘密結社が企《くわだ》てた陰謀の結果である。その元締めがイルミナティだ。〝かれら〟は、現在も地下に潜み存続している。イルミナティの中核を占めているのは、オカルティスト、ユダヤ人、共産主義者である。彼らはキリスト教文明を転覆させるために日夜、活動に励んでいる。フランス革命もロシア革命も、イルミナティの謀略である」

まさに、そのとおりなのだ。彼らの意図は、ときどき外部に漏れる。

マイヤー・ロスチャイルド二五項目の戦略、アルバート・パイクの予告など、国際秘密結社からは、ときおり極秘の内部文書が外部に漏洩している。

内部の良識派が命の危険を冒して流出させているのだろう。

そんな内部文書の一つが、「シオンの議定書」だ。

それは……「二四議定で構成された、ユダヤ人による世界征服とユダヤ王国設立の野望を実現するためのプロセスが記された奇書だ」（並木伸一郎著『秘密結社の謎』三笠書房）

一九〇三年、ロシアで発見された。ユダヤ長老たちの秘密会議の議事録とされる。

その内容はマイヤー・ロスチャイルド戦略書と見事に符合する。

①世界征服のために国家、階級、世代、性別の対立を煽るべし。
②民衆に対し、戦争、革命、暴動などへの社会不安を誘発せよ。
③新聞などメディアを利用して大衆の洗脳と白痴化を徹底しろ。

どれも、現代社会にピタリ当てはまる。

新聞による愚民化、テレビによる白痴化、まさに、今のニッポンそのものだ。

マスコミ人は、イルミナティの命令一下動いているとしか、思えない。

未来の家畜社会「アジェンダ21」

では、彼らが最終的に目指す「世界統一政府」とは、いったい、どのようなものなのか？

〝かれら〟は「ニュー・ワールド・オーダー（NWO＝新世界秩序）」と呼んでいる。

これは、別に陰謀論の用語でもない。パパ・ブッシュ大統領は在任中に「アメリカは新世界秩序を目指す」と演説で明言している。

その未来社会を表すのが「アジェンダ21」だ。

一九九二年、ブラジル、リオ・デ・ジャネイロで開催された「地球サミット」で採択された「国連行動計画」の中に潜んでいた。

それは四〇章もの文書に隠されていた。だから、なかなか表沙汰にもならなかった。

その具体的内容が判明すると、衝撃が広がった。

「アジェンダ21」は、一〇項目からなる。

①国家を廃絶、統一政府を樹立。
②大幅な人口削減を実行に移す。
③私有財産は否定、国家が没収。
④職業選択の自由は禁止される。

⑤居住の自由禁止、強制移住を。
⑥子どもたちは国家が没収する。
⑦あらゆる宗教は全面禁止する。
⑧与えられる教育は最低レベル。
⑨反対運動は禁止・処罰される。
⑩全ての資源・企業は国家管理。

——以上。あなたは絶望で目がくらんだはずだ。

ここで、マイヤー・ロスチャイルドらが夢見た統一政府が支配する未来社会が判然としてくる。

これは、もはや奴隷社会ではない。家畜社会である。

もう一度、冷静にふり返ってほしい。

本書で述べてきたことは、新聞やテレビで、いっさい触れられないことばかりだ。

その理由も、あえて言うまでもない。

日本のマスメディアは、イルミナティに完全支配されているからだ。

それを、陰謀論として笑って逃げるのも、あなたの自由だ。

もはや、そんな痴的レベルの人間は、相手にしない。

マスコミには、フリーメイソンとかイルミナティという言葉も、いっさい登場しない。

それどころかロックフェラー、ロスチャイルドも禁句だ。

なぜなら、闇から支配する〝かれら〟は、その名前を出すことを厳禁しているからだ。

そんなテレビや新聞に、再起を期待するほうが、ムリというものだ。

だから、NHK受信料は払ってはいけない。新聞も取ってはいけない。

洗脳装置にカネを払うのは本物のアホである。それは潰すしかない。

伊藤博文の孝明天皇刺殺、第一のスキャンダル

歴史は権力者の「物語」

「伊藤博文が孝明天皇を刺殺した」「明治天皇はすりかえられた」

わたしは、この日本近代史二大スキャンダルを拙著『維新の悪人たち』（前出）で明らかにした。

ほとんどの人は、驚く前に、笑うだろう。そんな、与太話つきあってらんないよ（笑）。

それも、無理もない。

学校で習った歴史教科書には、そんなこと一行も書いてないからだ。

「……教科書には真実しか書いてない」

こう思っている人は、脳を一度、チェックしてもらったほうがいい。

それどころか、歴史自体が、権力によって捏造《ねつぞう》された〝物語〟なのだ。

〝history《ヒストリー》〟とは〝his《ヒズ》〟〝story《ストーリー》〟の合成語なのだ。

つまり、「歴史」は「彼の物語」。彼とはいうまでもなく、権力者である。

権力とは、歴史を自由に〝つくる〟権利を与えられた者である。

日本の教科書は、国定教科書である。

現在の権力者は自民・公明の連立政権である……と思っているあなたは、おめでたい。

日本の最高意志決定機関は「日米合同会議」である。

月二回、在日米軍の大将クラスが出席。日本側に、アレコレ命令する。

出席した高級官僚たちは、ただ従うのみ。ここで、日本の基本政策は決定される。議事録はいっさい公開されない。

渡来者は全員メイソン

拙著『維新の悪人たち』のサブタイトル「明治維新はフリーメイソン革命」に着目してほしい。黒船を率いて来港したペリー提督から武器商人グラバーまで、幕末に来日した外国人は、全員フリーメイソンだった、といって過言ではない。

当時を知る関係者は、こう証言した。「フリーメイソンでなければ日本に来られなかった」

だから、横浜や長崎の外人墓地の墓標は、フリーメイソンのマークだらけ……。

彼らは、日本を植民地支配することを諦めた。

誇り高い武士道精神があり、青い目の宗主国の言うことを聞くとは思えなかった。

そこで、この島国を傀儡《かいらい》支配することを目論《もくろ》んだ。

その手先として選んだのが長州である。

そこに、古くから存在する朝鮮人部落に着目した。それが、田布施《たぶせ》（現・山口県熊毛郡田布施町）である。

下忍で仕事はヒットマン

伊藤博文は、田布施近郊の貧農の生まれだ。武士に憧れていたが、父親とともに武士最下層の足軽に養子に入り、最低限の士分を得た。ときに一四歳。少年に与えられたのは下忍《げにん》としての働きだ。下忍とは忍者の最下層。与えられた使命は〝諜報〟と〝暗殺〟だ。

ちなみに吉田松陰は中忍《ちゅうにん》といわれる。松下村塾《しょうかそんじゅく》の正体は、長州藩のスパイ養成校だったのだ。それは、他の藩校も同じ。

伊藤は剣の腕が立ち、度胸も座っていた。

若い頃の肖像からは、ヒットマンとしての迫力が伝わってくる（199ページの写真）。

遺品として愛用の忍者刀も残されている。鑑定人は「何人もの人を殺《あや》めた痕跡がある」と断定している。おそらく五指に余る人物を暗殺してきたのではないか。
最後の仕事が、孝明天皇の暗殺である。

長州に目を付けたメイソン

長州藩にとって、孝明天皇は邪魔者だった。徹底して攘夷《じょうい》を唱える「もの言う天皇」だったからだ。

幕末の長州に目をつけ、深く入り込んでいたのがフリーメイソンである。かれらは、長州の五人の若侍たちを英国最大の金持ちマセソン家に寄宿、留学させている。その中に伊藤博文もいた。

五人は全員〝洗脳〟され、メイソニストなって帰国したのはまちがいない。メイソンの英国ロンドン・ロッジには、この「長州ファイブ」の写真が飾られているという。

メイソンにとっても、孝明天皇は、日本支配の最大障碍《しょうがい》だった。

そこで、暗殺に長《た》けた伊藤博文が、ヒットマンに選抜された。

京都御所の堀川別邸に手引きをしたのが岩倉具視である。

そして、伊藤は天皇専用の厠《かわや》にこもった。使用できるのは天皇だけ。そこで、用足しに来た孝明天皇を下から突き刺した。

さらに、邸宅の前を流れる川で血まみれの手や刀を洗って立ち去った、という。

なぜ、これほど詳細に、行動が判明しているのか？

渡辺平左衛門の証言

じつは、孝明帝の斬死を不審に思った徳川慶喜《よしのぶ》は、大坂《おおざか》城番の渡辺平左衛門《へいざえもん》に下手人《げしゅにん》の探索を命じた。現在でいえば大阪府警殺人一課長のようなもの。

平左衛門は部下とともに徹底して聞き込み調査を行い、下手人を突き止めた。

まず、岩倉具視が厠の番人に袖の下を渡し、伊藤を邸宅へ潜入させたのだ。

その証拠を固めた平左衛門は、長州屋敷に伊藤を捕縛に向かわんとした矢先に、それを察知した長州勢に襲いかかられ、瀕死の重傷を負う。

そして、維新のゴタゴタを経て、新政府の総理大臣になった男を知って平左衛門は驚愕する。この孝明帝を殺めた張本人ではないか！

天皇殺しの犯人が、よりによって新政府の首相に……。

平左衛門の困惑ぶりは想像にあまりある。明治になり落剥《らくはく》した彼は、死の床で唯一の息子、鉄雄に事の詳細をすべて語り、後世に伝えるよう遺言して果てた。

鉄雄氏はその後、宮崎家に養子で入り、長じて音楽家となり、大成した。

じつは私事になるが、わたしは今から三〇年ほど前、偶然にもこの宮崎鉄雄氏本人と出会い、意気投合して、知遇を得ている。

そのときは、そんな歴史的証人とは夢にも思わなかった。

宮崎氏は、父親の無念を後世に伝えるため証言を文書で残している（宮崎文書）。

——博文の孝明帝刺殺。これが、日本近代、第一のスキャンダルだ。

田布施の少年・寅之祐、明治天皇に化ける！

「天皇づくりは〝玉遊び〟じゃ」

大室寅之祐《おおむろとらのすけ》は、一六歳にして身長約一七五センチ、体重約九〇キロの巨漢であった。

他方で、無残な死をとげた孝明天皇の後を継いだのが、長男・睦仁《むつひと》親王である。

彼は文学少年で、かつ虚弱だった。この青白い少年が皇位を授かり、明治天皇となった。

しかし、やはり、父親と同じく攘夷思想の持ち主だった。孝明天皇を伊藤博文に暗殺させたフリーメイソンにとっては、この少年天皇も邪魔者だった。

そこで、田布施で出会った大柄な少年に着目した。

それが、大胆不敵な〝天皇すりかえ〟工作である。

はやくいえば百姓の小倅《こせがれ》を天皇に仕立てたのだ。

本物の明治天皇、睦仁の運命はどうなったか？

おそらく父親同様に、暗殺されたのだろう。

〝かれら〟にとって、どうせゴイム（獣）の一人だ。どうということない。

それにしても寅之祐少年も困惑しただろう。一六歳といえば、まだ子どもだ。

それが「オンシは今日から日本の帝《みかど》ぞ」といわれて、ただウロたえるばかりだったはず。

その教育係に就いたのが西郷隆盛だ。泣きべそ天皇に「言う事きかんと、元の百姓に戻すぞ！」とゲンコツを食らわした、という。

さらに、木戸孝允なども「天皇づくりは〝玉遊び〟じゃ」と放言している。

明治政府の重鎮たちにとって、〝すりかえ〟は公然の秘密だったのだ。

数えきれない決定的証拠

「すりかえ」を証明する証拠は、いくらでも残っている。

①**体格**：これは決定的だ。身長一五〇センチほどの虚弱少年が一年余で一七五センチの巨漢になることなど、ありえない。

②**写真**：寅之佑と明治天皇（次ページの写真）を比較すれば、同一人物であることは、だれにもわかる。とくに、突き出た口（突出顎）は特徴的だ。

③**利き腕**：睦仁は右利き。寅之祐は左利き。利き腕は、一生変わらない。これも、別人の証拠だ。

ヒットマン時代の伊藤博文
（当時は俊輔）

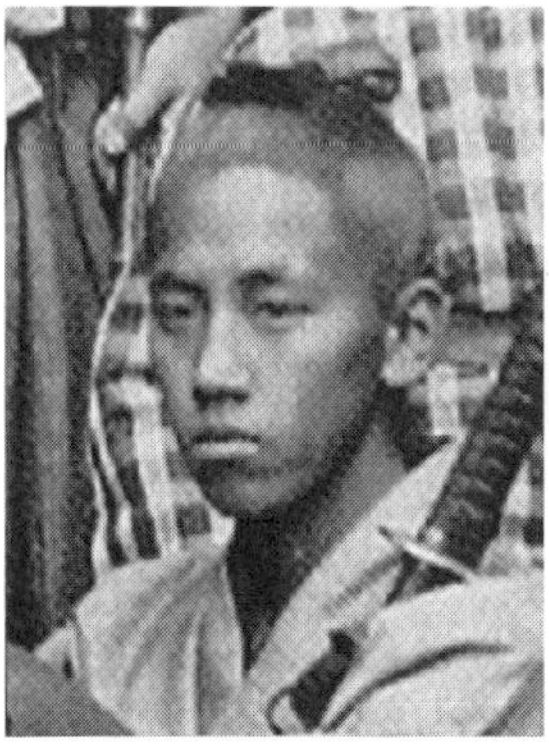

大室寅之祐（左）と明治天皇。
突き出た口は同一人物の証しだ

④乗馬：文学少年だった睦仁に乗馬記録はゼロ。それに対して、田舎育ちの寅之佑は荒馬でも自在に乗りこなした。

⑤**あばた**：寅之祐は二歳のとき天然痘にかかり、醜いあばたが残っていた。これにたいして、色白の睦仁にあばたはない。

⑥**東京遷都**：明治政府は、天皇にとって故郷の京都を離れて、東京への遷都を強行している。理由は、京都に睦仁の顔を知っている人が多くいる。それで、すりかえがバレないように、東京に御所を移したのだ。

⑦**奥の院**：明治天皇は、常に奥の院にこもって、人前に姿を現さなかった。それは、すりかえが、バレるのを恐れたのだ。連絡は一〇歳そこその稚児が行った。大人に会うと身代わりが露見する恐れがあったからだ。

⑧**「御簾《みす》」**：明治天皇（寅之祐）に拝謁《はいえつ》しても、「御簾」越しにしか対座できなかった。さらに、天皇のお言葉は、側近にささやき、それを伝えるのである。これは、寅之佑の長州訛《なま》りで正体がバレるのを恐れたのだ。

⑨**白化粧**：外国の賓客に会うときは、どうしても素顔をさらす必要があった。そんなときは異様な風貌で現れた。顔を白粉《おしろい》で真っ白に塗り、眉毛を上の方に描いて現れた。海外からの客もその風体に度肝を抜かれている。

そもそも、国賓に会うのに、素顔を隠し変装して接待する元首が他にいるだろうか？

メイソンはスキャンダルを握って日本を支配

弱みを握って支配する

——これほどまでに、明治天皇すりかえの具体的証拠は、そろっている。

しかし、歴史家も、研究者も、多くの記者たちも、異様に沈黙している。
①から⑨まで、これだけ多くの証拠も必要ない。両者の写真を並べるだけで良い。
この具体的な物証に、だれも反論できない。だから、黙りこくる。

伊藤博文による孝明天皇暗殺にも、先の渡辺平左衛門（元・大坂城番）の捜査証言が残っている。

長州の侍たちが平左衛門を襲撃したのは、博文による天皇暗殺が露見するのを防ぐためだった。

そして、寅之祐による天皇すりかわりも、具体的な証拠だらけだ。

この二大スキャダルとフリーメイソンによる日本支配と、どう関係があるのか？

おおいに関係がある。

私は確信する。

この二大事件の背景には、メイソンの謀略が存在する。

暗躍したのはアーネスト・サトウだろう。英国公使パークスの通訳として来日。天才的に日本語を操っていた。〝かれら〟は、これら政変の傍観者というより仕掛人だったはずだ。謀略のシナリオを書き、それを博文や木戸らに実行させた。

そして、その事実の証拠を握った。

はやくいえば、明治政府の二大醜聞（スキャンダル）の弱みを握ったのだ。

「弱みを握って支配する」、これこそメイソン、さらにいえばユダヤの常套手段だ。

イルミナティの意のままに

こうして、明治政府はフリーメイソンの奴隷となり果てた。

日清戦争、日露戦争も、〝かれら〟に命じられてやらされた。中国侵出もそうだ。

真珠湾攻撃から太平洋戦争まで、まるで手のひらで操られるように、破滅に向かって突進させられた。そして、敗戦後もまた……。

コーンパイプにレイバン姿の将軍が厚木基地に降り立った。

このマッカーサーも筋金入りフリーメイソンの大物だ。

マイヤー・ロスチャイルドの二五項目の戦略を思い出してほしい。

「……ゴイムたちに殺し合いをさせろ。軍備増強をさせろ」

世界はまさに〝かれら〟のシナリオ（計画）通りに動いている。

さて――。

日本のテレビ、新聞は、この二大スキャダルを報道できるか？　新聞は書けるか？　テレビは流せるか？

それは、逆立ちしてもムリだ。彼らの怯《おび》え、引きつった顔が目に浮かぶ。

しかし私は『維新の悪人たち』（前出）で、すべてを書いた。それも一〇日ほどで……。

「ディグ・アップ、ディグ・アップ……」

私淑する故ユースタス・マリンズ氏の姿と声がよみがえる。隠された真実を掘り返すのは、ジャーナリストとして当然の作業だと思う。あとに続く勇気ある人に期待したい。

日航ジャンボ機はミサイルで〝撃墜〟された

虚偽をマスコミに垂れ流し

これも、戦後最大級の大事故だ。

なのに、真相は揉み消された。そして、闇に封じ込められたままとなっている。

一九八五年八月一二日、午後六時五六分に羽田空港から大阪・伊丹空港に向けて飛び立ったＪＡＬ１２３便。その後、行方不明となり、群馬県上野村の御巣鷹の尾根に激突、乗員乗客五二〇名が死亡する航空史上最悪の大惨事となった。

この重大事故についても、やはり、大量の虚偽情報を垂れ流したマスコミの罪は深い。

そもそも、日本のメディア報道とは、記者発表された情報の垂れ流し。

そして、記者たちは「本当のことを流せない」と嘆くのだ。

この日航ジャンボ機墜落事故でも、メディアは官製情報のみを垂れ流し続けた。

そして、事故原因は――「機体後方の圧力隔壁の爆発で垂直尾翼などが脱落し、操縦システムの全損による操縦不能」とされた。

衝撃の告発書『疑惑』

しかし、その後、公式発表と異なる不可解な事実が次々と明らかになる。

それらをチェックすると、だれでも「事故には重大秘密が隠されている」と気づく。

わたしもその一人だった。疑念は一冊の本を読んだとき、決定的になった。

タイトルは『疑惑――JAL123便墜落事故』(角田四郎著、早稲田出版)。

著者、角田氏はフリージャーナリスト。彼は民間人では真っ先に墜落現場に駆けつけた人物だ。彼はこの事故に二度関わっている。

山好きの彼は、近所の子ども会の引率でキャンプに出かけていた。

そこで、超低空で飛ぶJAL123便を間近で目撃している。それは、窓の乗客の顔が見えるほどの至近だったという。そしてJAL機を追うように、二機のファントム戦闘機が飛行していった。

さらに、帰宅した彼のアパートに後輩が泣きながら現れた。フィアンセが墜落したジャンボ機のスチュワーデスだという。現場に駆けつけたいという彼を乗せ、車を飛ばした。

墜落現場の御巣鷹の尾根に「誰も到達していない」……と思った二人は、山陰に隠されていた十数個のリュックを発見。そこに金属片が覗《のぞ》いていた。直感が働き、そのカケラをひとつ、ポケットに入れた。さらに、怪しい男たちのグループが降りてくるのと遭遇した。全員、日航のツナギを着ている。しかし、どう見ても空港職員には見えない。

角田氏は、自衛隊員と直感した。

彼らが隠したリュックの持ち主なのだろう。

なぜ、わざわざ日航の衣服に着替える必要があるのか？

墜落現場にミサイル破片

先に進むことに危険を感じて、二人はやむをえず下山した。

その後、角田氏は、知り合いの米軍将校に、金属片をどこから入手したかを言わずに「これは何だ？」と尋ねた。将校は、少し触って「ミサイル！」と即答した。

角田氏は驚愕する。御巣鷹尾根のジャンボ機墜落現場に、ミサイル破片があった。

それをはるか前に現場に入った自衛隊員たち（？）が回収していた。

つまり、墜落現場から〝証拠品〟が、密かに回収されていた！

「ジャンボ機はミサイルで〝撃墜〟された」

彼は確信し、徹底的に取材を続行した。それで、書き上げたのが前出の『疑惑』である。

一読して圧倒された。めまいすら覚えた。戦後ノンフィクションの最高峰と思った。

なぜなら、〝闇の力〟が隠蔽した惨劇のどす黒い背景を、見事に暴き切っていたからだ。

彼の身辺が心配になった。これほどの事実を告発することは、身を危険にさらすことになる。口封じで、消されかねない。

その後、角田氏の名前は、ようとして表に出てこない。

殺されたのか？　身を隠しているのか……？

生存者が全員、死ぬまで待て……

目撃者は死んでもらう

政府発表は、最初からウソだらけだった。

まずは墜落現場の特定。「位置は不明……」と、記事に書かれる時間を引き延ばした。

しかし、角田氏は超低空でジャンボ機を追尾する二機のファントムを目撃している。

だから、墜落を二機は目撃しているはずだ。

場所は即座に特定できる。これら、戦闘機はいったい何をしていたのか？

さらに、偶然、グアム島から帰還途中の米軍ヘリが現場上空に飛来。

ホバリングで救助開始しようとしたら、米軍司令部から命令。

「救助するな。すぐ帰還せよ」

つまり生存者がいては困る。それが米軍のホンネだ。

さらに、基地に戻って、怒りに燃えて食ってかかるヘリ隊長に上官はこう告げた。

「マスコミにはいっさいしゃべるな」

しかし、熱血漢の隊長は、のちに事実をメディアにぶちまけている。

墜落場所を公表せず、救出を不自然に遅らせた。その理由は何だ？

「生存者（目撃者）がいてはまずい」「だから、全員死ぬのを待て……」

当日、非番でＪＡＬ機に乗り合わせていて奇跡的に助かったＣＡの落合由美さんは、こう証言している。

――墜落現場には、何人もの生存者がいた。中には男の子が「ボクはがんばるぞー」という声も聞こえた。しかし、救出があまりに遅れたため、衰弱して次々に死亡――。

助かったのはわずか四人きりだった。それも、御巣鷹山の麓の消防団員たちが、警察の制止を振り切って山を駆け上ったからだ。

政府の制止に従っていたら、力尽きて四人も死んでいただろう。

無人標的機〝ファイアB〟

角田氏は、JAL機、操縦不能原因は、無人標的機〝ファイアB〟による撃墜と断定している。それは相模湾を航行していた米軍艦船から発射された。ほんらいは、戦闘機のドッグファイト（空中戦）の練度を上げる目的で使用される。長さ四メートルほど。ジェットエンジンを搭載している。それが、上空を飛行中の123便の尾翼付け根に命中した。

それを証言する物的証拠もある。

乗客の遺品カメラに残っていたフィルムを遺族が現像した。すると不思議な物体が写っていた。十字翼のある円筒状の物体が向かって来る。それこそ、突進してくる無人操縦機。

その直後、激突。同機は、操縦不能となりダッチロールを繰り返す。

航路からずれ、群馬山中に迷い込む。二機のファントムは、横田基地からスクランブル発進した米軍機だろう。最初はJAL機を横田基地に誘導しようと試みたようだ。

しかし、尾翼を破壊された機体は空しくも、秩父、群馬と山岳地帯に迷いこむ。

その姿を、キャンプ場から角田氏は目撃したのだ。

「やむなし撃墜せよ」

このとき、おそらく、当時の中曽根首相、レーガン大統領は、対策を緊急協議しているはずだ。

そして……下された結論は「やむなし撃墜せよ」。

ファントムから非情のミサイルがＪＡＬ機に向けて発射された。

その目撃証言もある。地方紙には「１２３便に向けて光の筋が走った」と地元住民の証言が掲載されている。夜間なのでミサイルが光の筋に見えたのだ。

墜落現場を隠し続けたのは、まず、このミサイル残骸を回収する必要があったからだ。

それと〝ファイアＢ〟の残骸だ。この標的機は目立つように黄色に塗装されている。

しかし、ジャンボ機には、黄色いパーツはない。これも、徹底回収の必要があった。

さらにミサイル衝突の隠蔽だ。そこで、日航のツナギを着た怪しい一団の男たちが現地入りした。これら作業を生存者に目撃されてはまずい。

だから、墜落現場が不明……と、ロコツな嘘で救出を遅らせた。

超重要人物の抹殺が撃墜の目的か？

消えたキーボード〝トロン〟

それでも疑問は残る。〝ファイアＢ〟は偶然衝突したのか？

あるいは、狙って体当たりさせたのか？

最近は「故意に狙った」という説が優勢だ。

その目的は、ある乗客たちを〝始末〟するためだ。

じつは、乗客の中に超重要人物たちがいた。日本独自のパソコン基本ソフト（ＯＳ）〝トロン〟の発明チームだ。キーボードも、両手指で操作する画期的なもの。

彼らが生存していたら、マイクロソフトのウィンドウズをしのいで世界を席巻《せっけん》したといわれる傑作だ。その特許所有者たちを抹殺するため……という説だ。

これこそ、まさに臆測でしかない。

まさに、都市伝説の範疇《はんちゅう》かもしれないが、否定はできない。

その他、いくつもの説が、〝撃墜〟動機として語られている。

いつの日か、真実は明らかになる……と確信している。

米軍がハイジャックし全員殺害した惨劇

マレーシア航空３７０便の悲劇

同様の悲劇が二〇一四年三月八日、マレーシア航空機３７０便でも起こっている。

それは、一時、旅客機・謎の失踪事件として騒ぎになった。

しかし、一時期を境にピタリと報道は消えた。

なぜか？　同機はハイジャックされたのだ。いったい、だれに？

実行したのは米軍だ。

連行した先は、インド洋の真ん中にある米軍秘密基地、ディゴ・ガルシア。

そこに強制着陸させられた。それから乗客を襲った悲劇は、とても書けない。つまり、全員、殺された。何のために？

じつは、乗客の中に四人の中国人研究者がいた。ターゲットは彼らだった。

彼らはコントロール・マイクロチップ特許の共同所有者だった。

そのチップとは、蚊サイズ・ロボットすら自在に動かす超高性能。特許を所有するのは、ロスチャイルド系企業と、この四人。そして、契約では四人が死亡すれば、特許は自動的に一〇〇％、会社のものに移行する。暗殺計画を実行したのはＮＳＡ（米国家安全保障局）と米軍だろう。

シナリオは、四人は不幸にも、旅客機墜落事故に巻き込まれて死亡した……というストーリーになるはずだった。

米軍による乗客、拉致、殺害

軍部によるハイジャックがバレたのは、一人の乗客男性からの携帯メールだった。

持ち主の名前は、Ｆ・ウッド氏。ＩＢＭエンジニアだ。

ハイジャックの瞬間、携帯をお尻に隠した。

「目隠しされて、よくわからない軍人によって人質にされた」

そして、ハイジャック機は、どこかに着陸した。彼はメールを打つ。

「他の乗客から隔離されて独房にいる」

「なにか麻薬のような注射を打たれた」

「そのせいか、はっきり考えることができない」

独房からのメールには、真っ暗な画面の写真が添付されていた。

そして、その発信記録から、緯度と経度が割り出された。

それは……なんと、ディゴ・ガルシア基地とピタリ一致した。

つまり、ハイジャック犯は、米軍だった……。

乗客二三九人は、どうなったか？　残念ながら全員殺害されたはずだ。

軍部によるハイジャックの生き証人たちを、解放するはずもない。


——このような軍部の暴走を止めるのは、ほんらいメディアの役割だ。

捨て身で生存メールを送ったウッド氏の勇気に報いるためにも、世界のメディアは、この最凶ハイジャック事件の真相を、伝えるべきだ。

しかし、世界のすべてのメディアは凍りつき、一斉に沈黙した。

まるで、マレーシア航空機失踪事件など、「なかった……」かのようだ。

彼らが〝だれ〟に支配されているかは、もはや言うまでもない。

9・11はアメリカの自作自演劇である

〝洗脳〟レベルの試金石

いまだに、9・11はイスラムによるテロだと信じている人々がいる。

つまり、テロ組織「アルカイダ」による同時多発テロだと思い込んでいる。

空前の〝茶番劇〟を知る人たちからすれば「信じられない！」の一言だろう。

その意味で、9・11は、現代人の〝洗脳〟の度合いを測る試金石《しきんせき》である。

あなたが、9・11が、いまだにオサマ・ビンラディンの首謀による卑劣なテロだと信じているなら……あなたの知的レベルは、最下位クラスだ。

二〇〇一年九月一一日、この〝同時多発テロ〟の「ライブ」映像の衝撃は、いまだに目に焼き付いている。

アメリカのブッシュ大統領は「これは、戦争だ！」と叫び、「テロとの戦い」を宣言した。

しかし、直後から数多くの疑惑、矛盾が大量に噴出し、アメリカによる自作自演説が飛び交った。つまり、アメリカは自らを攻撃して、イスラム過激組織の仕業だ！　と大衆を欺いている。

常套手段の〝偽旗《にせはた》攻撃〟

これを、戦略的には〝偽旗攻撃〟という。

密かに自らの陣営を攻撃した後に、「奴らの仕業だ！」と国民の敵愾心《てきがいしん》を煽って攻撃する。

歴史的には、この卑劣な〝作戦〟は、数限りなく行われてきた。

有名なものはナチスの共産党攻撃だろう。ヒトラーは政権を奪うや、秘密裏に議会を爆破し「共産党がやった！」と激怒して見せ、国民の怒りを煽った。

そして、徹底的な共産党狩りを行い、独裁体制を固めたのだ。

ベトナム戦争におけるトンキン湾事件も同じ。自軍の駆逐艦に魚雷を放ち、「北ベトナムの卑劣な攻撃！」と発表。そして、これに対する〝報復〟として猛烈な北爆を開始し、ベトナム戦争を泥沼化させたのだ。

このデッチアゲ戦争により、軍産複合体は膨大な利益を上げた。

戦争こそ、彼らにとって〝グッドビジネス〟なのだ。

日本も同じ手口で大陸に侵攻している。それが柳条湖事件である。満州事変のきっかけとなった〝テロ事件〟だ。一九三一年、南満州鉄道が爆破されて事件が起こった。

関東軍は、これを中国軍ゲリラによる攻撃と発表。すぐさま、〝反撃〟を開始した。

しかし、これも日本側のヤラセであった。

それも、わざわざ現場に中国側〝ゲリラ〟の死体を配置するなど手が込んでいる。

太平洋戦争勃発のきっかけとなった真珠湾攻撃も、アメリカ側による〝ヤラセ〟である。

日本軍にわざと攻撃させ、「リメンバー・パールハーバー！」の掛け声とともに、アメリカ軍は第二次大戦に参戦した。またもや、巨大ビジネスのオープニングだ。

B・フルフォード氏の覚醒

9・11は、これら一連の〝偽旗攻撃〟の中でも超ビッグスケールだ。

仕掛けたのは米国の軍産複合体、ネオコン派の巣窟である。暗躍したのはCIAだ。

しかし、スケールのわりには、この作戦はずさんきわまりない。

デッチアゲの証拠がゾロゾロ、ゴロゴロ……次から次に出てくる。

ある研究者は、それを「まるで、象が歩いた跡のようだ」と評した。

当時、『フォーブス』誌のアジア支局長を務めていたのがベンジャミン・フルフォード氏。

彼は当初、この衝撃事件を政府発表どおり「アルカイダによるテロだ」と信じきっていた。

そこに、アメリカによる自作自演説が出てきた。

「……ボクは、その時、保守だったから頭に来たね。なんだコイツら、でたらめ言うな」

それで、とっちめてやろうと9・11事件を徹底的に調べまくった。

「驚いた！　あいつらの言うことがまったく正しかった」

呆然自失とはこのこと。この9・11事件が転機となった。

メディアにも、アメリカにも絶望した。職場も、国籍も捨てた。日本に帰化した。

そして、世界の陰謀を告発する第一線ジャーナリストとして、今も活躍している。

メディアの大衆〝洗脳〟

かくも、〝偽旗攻撃〟は卑劣だ。しかし、純朴な国民大衆は、コロリと騙される。

まさか、愛する国が、そんな卑怯なことをするはずがない……と思い込んでいるからだ。

しかし、愛する国も背後では、〝闇の勢力〟イルミナティに支配されている。

その世界支配のための黒い戦略書を見よ！

「M・ロスチャイルド革命計画」「シオンの議定書」「アジェンダ21」……などなど。

国家や秘密結社による〝偽旗作戦〟が、簡単に成功するのは大衆が信じるからだ。

民衆は「報復を！」と拳《こぶし》を突き上げる。この大衆の怒りを煽るのがメディアである。

歴史上、卑怯《ひきょう》な自作自演の〝攻撃〟は、数えきれないほど仕掛けられ、成功してきた。

それが、大量殺戮の悲劇へと大衆を暴走させたのだ。

その音頭をとったのが新聞、ラジオ、映画……そして、テレビである。

これを、〝洗脳〟というのである。

米ABC偽映像で世論操作

ふつうの人は、テレビニュースで流れる映像は〝真実〟だ、と思って観ている。

「あたりまえでしょ」という反応が返ってくるだろう。

ところが、それが大まちがい。テレビや新聞に掲載されている映像すら信用できない。

たとえば、アメリカ大手テレビ会社ABCは〝フェイク・ニュース〟を堂々と流していたことを暴露されている。シリア攻撃映像で〝大ウソ動画〟を放映したことがバレたのだ。

その背景には「トランプ潰し」の悪意が働いたようだ。

トランプ大統領は米軍のシリアからの撤退を決定した。するとトルコがクルド人勢力への攻撃を開始。トルコの真の狙いは、IS（イスラム国）支援にあるという。

ネット解説（TOCANA《トカナ》）は、次のとおり。

「……クルド人を見捨て、シリアを再び不安定化させたトランプ大統領に非難が集中しているが、そうした世論に追い討ちをかけるかのように、大統領の印象をさらに悪くする映像を米ニュース『ABC』が放送したことが話題になっている」

その内容とは――。

「……二〇一九年一〇月一一日付、ABC局『World《ワールド》 News《ニュース》 Tonight《トゥナイト》』において、『シリアでの虐殺』と題した映像が放映されたのだ。

同番組はこの映像を『トルコによるシリア北部への攻撃だ』と解説。司会者のトム・ヤマス氏は『米軍のシリア北部撤退は、ＩＳ（イスラム国）に対して、共に戦った米国の同盟者を実質的に見捨てることだ』と語った。

銃弾が飛び交う凄惨な様子に背筋が凍るが、そのじつ、この映像はトルコのシリア攻撃とは全く関係のない映像だった」（ＴＯＣＡＮＡ）

テキサス〝マシンガン祭り〟のフェイク映像

「英『Ｆｏｘ《フォックス》　Ｎｅｗｓ《ニュース》』（一〇月二〇日付）によると、この映像は、米テキサス州の〝マシンガン祭り〟の一幕だった。祭りの映像をＡＢＣは『シリアの危機』として報じた。ヤマス氏は『こちらはシリア国境で、クルド人の一般市民を銃撃するトルコ軍の映像』とはっきり言っている」（同）
「ＡＢＣは翌朝の番組『グッド・モーニング・アメリカ』でも、同じ映像を使っている。『ＡＢＣニュースが入手したこの映像は、国境付近の街にトルコが猛攻撃を仕掛けているようです』と解説。『Ｆｏｘニュース』は『ＡＢＣの行為は並外れて詐欺的だ』と責任追及。さらに『トランプ大統領を退任させるために、メディアはどこまでやるのか？』と、ＡＢＣがトランプ大統領の印象を『意図的に悪くしようとしていた』と指摘している」（同）
この決定的告発に、ＡＢＣは〝偽画像〟を使用したことを認め、謝罪に追い込まれた。

下の写真は、ＡＢＣ「シリアの虐殺」映像と、「マシンガン祭り」の映像が同一であることを示す決定的証拠。

見出しは「シリアでの戦争拡大を狙うディープ・ステイト（闇国家）の企みを加速する偽映像の使用をＡＢＣは認めた」。

トランプ大統領も、公式ツイッターで「フェイク・ニュースだ！」とＡＢＣ番組への怒りをあらわにしている（ブログ『ＴＯＣＡＮＡ』要約）。

しかし、この米テレビ局の恐るべき〝陰謀〟を、日本のテレビ、新聞マスコミは報道しない。

なぜなら、かれらもＡＢＣ同様、〝闇の勢力〟に支配された〝洗脳〟装置だからだ。

〝闇の勢力〟とは、何度もいうがイルミナティ勢力だ。

それは主としてロスチャイルド財閥が支配している。

ＡＢＣニュースのフェイク映像。
「トルコによるシリア北部への攻撃」と報道したが（左）、
その実は「マシンガン祭り」の場面だった（右）

テレビ、新聞は〝フェイク・ニュース〟だらけ

バカ正直日本人がバカを見る

「……ロスチャイルド・シオニストは、自身は表に出てこないで、主要メディアを所有するという方法を使ってきている」（デーヴィッド・アイク著『ハイジャックされた地球を99％の人が知らない（下）』ヒカルランド）

ロスチャイルド傘下のＡＢＣがトランプ潰しのため偽映像を流すなど、ごくあたりまえの情報操作なのだ。

〝かれら〟は日本のマスメディアも、ほぼ完璧に支配している。

だから、わが国でもマスコミによる大衆〝洗脳〟は、毎日、行われている。

〝フェイク・ニュース〟はあたりまえ。後述するイカサマ「選挙報道」、ペテン「世論調査」などは、そのほんの一部にすぎない。

「正直者がバカを見る……」

日本人は、世界一の正直者である。だから、世界一ダマされやすい。

日本人の九割は、テレビや新聞が「本当のことを流している」と純朴に信じている。

これほど、〝洗脳〟しやすい民族は、珍しい。

日本人はインテリほど、マスメディアを信じている。

そして、マスコミに流されない情報を〝フェイク・ニュースだ！〟と叫ぶ。

その太平の眠りをさます好著がある。

『日本も世界もマスコミはウソが9割』（成甲書房）。

ベンジャミン・フルフォード、リチャード・コシミズの共著。両名ともわが盟友でもある。

いわゆる「陰謀論」の二大論客。同書の副題が笑わせる。「新聞で正しいのは日付だけ」

詳しくは一読いただくとして「命がけの二人が発信する極秘重要」とは？

テロはほとんどヤラセ、八百長、でっちあげ

●「パリのテロは完全なヤラセ、八百長テロです」

――その詳細を、コシミズ氏は『パリ八百長テロと米国一％の対日謀略』（成甲書房）で完膚《かんぷ》なきまで、その証拠を暴いている（一％とはイルミナティ勢力）。同書は闇の力により〝流通テロ〟に遭い、販路が妨害された、とコシミズ氏はいう。

「……パリ惨事とボストン・テロの両方に『出演』したクライシス・アクターの女性が注目を浴びている。犠牲者を演じるクライシス・アクターが起用されている、ということは偽テロである証左である」

「劇場の外に倒れている犠牲者を映した携帯映像が出回っている。撃たれて死んだのであろう。だが、その犠牲者がやおら頭をあげ、携帯電話をいじりだしている」（同書）

ここでいうクライシス・アクターとは、〝偽テロ〟、〝フェイク・ニュース〟では、必ず起用される役者である。

クライシス・アクターをテーマにしたハリウッド映画もある。

ダスティン・ホフマンとロバート・デ・ニーロ共演。タイトル『ワグ・ザ・ドッグ』（一九九七年）。「ワグ」とは犬などがシッポを振ること。つまり、シッポが犬を振り回す。つまり、〝フェイク・ニュース〟が大衆を扇動する……という皮肉だ。

同映画はコメディを装っているが、メディア・ニュースの裏側を生々しく暴いている。最後は、プロデューサー役のダスティン・ホフマンは暗殺されてジ・エンド。

映画が恐ろしいのではなく、現実が恐ろしいのだ。

巨大ハリケーンも消した気象兵器HAARP《ハープ》

●「人工地震・ゲリラ豪雨・火山噴火、みんな米国一％の悪行です」

これも、正直者（！）の日本人は目がテンだろう。しかし、「地震兵器」「気象兵器」「HAARP《ハープ》」などの存在を知っている向きには、驚くほどのことではない。

詳細は『気象兵器・地震兵器・HAARP・ケムトレイル』（J・E・スミス著、成甲書房）は必読。

「陰謀論とあざ笑うなら、この本を読んでからにしろ」と言いたい。

次ページの写真は、気象兵器HAARPによる「ハリケーン消滅」画像。

二〇一八年八月、ハワイ沖で発生した巨大ハリケーン「レイ」の進路がオアフ島の米軍基地を直撃するため、急遽、HAARPを使用。すると信じられない光景が出現した。

「台風の目が消失した」のだ。それにともない低気圧の激しい旋回運動も止まった……。

ハリケーンがいきなり回転を止めるなどありえない。

サイト情報にはこうある。

「……非常に驚くべきことが起きた、というか『起こされた』。陸海両軍の重要な軍事基地があり、核兵器も配備されているオアフ島方向に進んでいたこの超強力なハリケーンは突然動きを止め、事実上停止してしまったのだ」（次ページの写真・下）。

「軍産複合体によるEMF（電磁波）気象兵器が使用されていることを示す、明らかな証拠だ。〝かれら〟は、カテゴリー4の強いハリケーンが、二四時間後に自動的に消滅するという異常な事態に『誰も気づかないでほしい』と願ったのだろう。しかし、この画像は、地球上の『気候』が、すでにメディアを含む軍産複合体とディープ・ステートにコントロールされていることを示す証拠だ」（ブログ『JUGEM』）

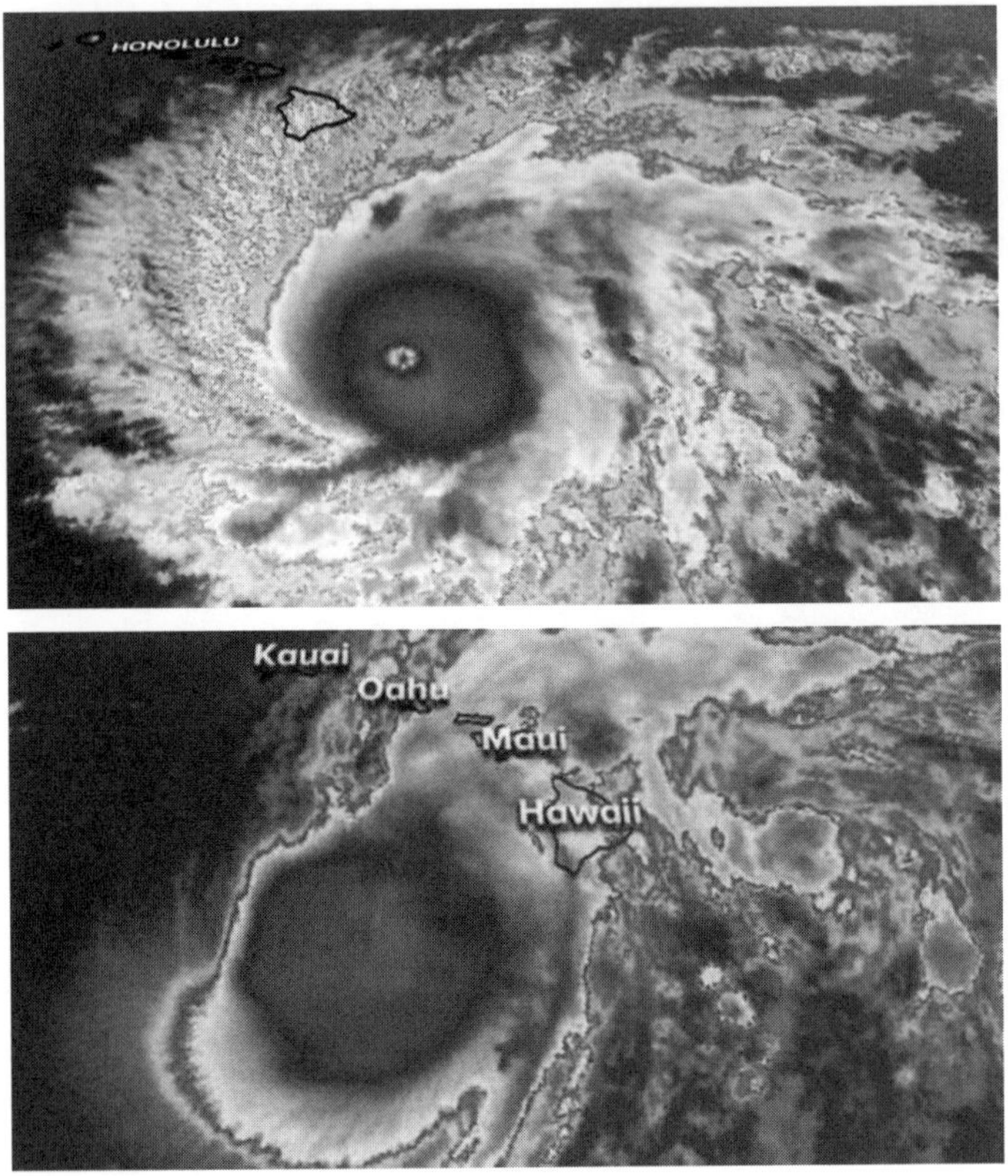

気象兵器ＨＡＡＲＰによる「ハリケーン消滅」画像

ＣＩＡは在日を使って日本人を奴隷支配

●「日本人奴隷支配システムを運営、それが安倍一族です」

安倍首相は、わかりやすくいえば日本を闇から支配するイルミナティ勢力の下請け工作員。

「日銀は、今や〝ＦＲＢ日本支店〟に堕しました」「アベノミクスが日本の富を売り渡したのです」（『日本も世界もマスコミはウソが9割』）

ＦＲＢも日銀も、先進国の中央銀行は、すべて〝闇の勢力〟が支配する特殊株式会社。

しかし、日本人の九九％は、日銀は〝国営〟だと思い込んでいる。

メディアの〝洗脳〟の見事な勝利である。

「自公がＡチームなら、野党はＢチーム。どちらも、米国一％の犬です」（同書）

だから、野党も、日本を滅ぼす自公の最大愚策〝リニア問題〟をいっさい取り上げない。

陰謀批評家の飛鳥昭雄氏も、同様の告発をしている。

いわく「ＧＨＱを引き継いだＣＩＡの『在日による大和民族分断プロジェクト』」（月刊『ザ・フナイ』連載）

これぞ、日本人奴隷支配システムの裏技！

この手法は、じつは幕末から行われてきた。

フリーメイソンが着目したのが長州と鹿児島の朝鮮人部落（田布施《たぶせ》）だった。日本人から差別されてきた少数民族を使って傀儡《かいらい》支配する。これはユダヤお得意の謀略だ。

そして前述のように、幕末には長州出身の伊藤博文に孝明天皇を暗殺させ、明治政府の初代総理大臣に据えた。

さらに、田布施出身の少年、大室寅之祐を明治天皇とすりかえている。

この二大スキャンダルの弱みを青い目のフリーメイソンに握られた明治政府は、それ以来、この狡猾な秘密結社の手の平に乗せられ、操られることになる。

非差別の在日を手先として使う。その支配策略は戦後も一貫して行われてきた。

飛鳥氏は断罪する。

「……小泉一族のルーツは鹿児島の朝鮮部落である。戦後、GHQによる在日重視戦略『WGIP』により、全テレビ局、全大学、全大企業、全宗教界、マスコミや霞ヶ関に『在日特権』『在日就職枠』が設けられ、無試験で在日の子息がエリート扱いで組織に潜り込んだ結果、次々と彼らに乗っ取られていった。

仕掛けたのはダグラス・マッカーサーとGHQ、それを継承した『アメリカ大使館』のCIAで、気づいてみたら、日本の主要ポストの多くが在日韓国人・朝鮮人に押さえられ、すでに、手遅れ状態のありさまが今の安倍自民の無政府状態である。

その最大の象徴が、何の根拠もなく次期総理候補とされる小泉進次郎で、無批判に持ち上げられるチャラ男の構図は、何があっても『アメリカ大使館』が小泉進次郎を総理大臣に推す姿勢の表れである。

もはや、国の主要ポストを在日コリアンに奪われた日本人は、誰もアメリカに逆らえず、世界最大の覇権国家であり世界唯一の超大国アメリカの決定で、ヤング・コリアンの小泉進次郎総理大臣を誕生させることになる！」（月刊『ザ・フナイ』136号）

タリバン、アルカイダ、ISを育てたアメリカ

●「IS（イスラム国）は〝隠れユダヤ人〟が主導する〝隠れユダヤ組織〟です」

ISはイルミナティ勢力が創作した！
「ISの人質斬首シーンはすべて捏造《ねつぞう》、ヤラセ映像です」
「リタ・カッツ女史の〝作品〟です」（同誌）
これも、〝パリ偽テロ〟と同じクライシス・アクターによる「ワグ・ザ・ドッグ」。
「IS傭兵は、日払い五万円、月給制だったら七六万円だそうです」（同誌）
つまり、「……イスラム国というものは、『イスラム』でもなければ『国』でもありません。イスラエルとアメリカ、それもワシントンDCですが、民間軍事会社（傭兵会社）によるプロパガンダ」（同誌）。

「イスラム国の戦闘員たちはコーランも持ち歩かないし、アラビア語もしゃべりません。英語をしゃべっています。そもそもイスラエル自体が、このハザールマフィアたちによって、でっちあげられた国家です」（ベンジャミン・フルフォード氏）

ちなみに、タリバン、アルカイダも、米国が育てた〝ヤラセ〟過激派にすぎない。

「……第二次安倍政権の内閣官房参与だった飯島（勲）というラスプーチンみたいな輩がいますが、この人がフジテレビの報道番組で、『ＩＳのボスのアル・バグダディは、実はサイモン・エリオットというユダヤ人だ』と発言していた」（同氏）

さらに、彼はイスラエルのスパイ組織モサドの工作員ともいう。いやはや……。

犯罪選挙！「当落」は初めから決まってる……

自民の八倍得票した「未来の党」

●「身代わり、ニセ票、消えた投票用紙、なんでもアリが実態です」

これは、わたしも拙著『日本の真相！』で告発している。

だれが、〝何票〟で〝当選〟するかは、事前に〝闇の選管〟が決めている。

マスコミの選挙速報もヤラセのペテン。

〝闇の選管〟から事前に〝選挙結果〟情報を得ているから、外れようがない。

「日本の司法は八百長まみれ、裁判官たちの姿は哀れそのものです」「ニセ警備員まで配して、不正選挙公判は闇に葬られました」（リチャード・コシミズ氏）

二〇一二年、衆院選は、野党第二党として六一人が結束した「日本未来の党」は、ネットアクセス数が四〇〇〇万件を超えるほど期待が集まった。ロイター通信による出口調査（二四五五名対象）でも「自民」に投票が九％に対して「未来の党」七二％……！　自民の八倍という圧倒的な支持を集めていた（ネット公開）。

しかし、開票結果は、信じがたいものだった

自民は圧倒的な〝大勝利〟に対して、「未来の党」は、なんと五二人が落選。六一議席を九議席に減らす〝大惨敗〟だ。

客観的な出口調査で自民の八倍も得票していた政党が、五二議席を〝失った〟……。

その原因は、ただ一つ。二〇一二年の衆議院選挙は、初めから自民の〝圧倒勝利〟は、決まっていた。では、自民の八倍も「未来の党」に投票していた投票用紙は、どこに消えたのか？　それも、まさに燃えるゴミで処理されたのだ。

ちなみに、都知事選挙でも同じ不正が行われた。

スキャンダルで辞任した猪瀬知事を引き継ぐ知事選挙で、〝当選〟した舛添要一の得票数は、すべての選挙区で前回の猪瀬獲得数の四八％……。コンピュータ入力したので、選挙結果は、すべて四八％となった。

こうして、まじめに投票した人の投票用紙は、燃えるゴミで処理された。

大手「世論調査」は談合・デッチアゲ！

支持率、農業新聞七％、読売五一％

「……安倍内閣支持率、いぜん高止まり」

大手マスコミ世論調査に、庶民大衆はため息をもらす。

「どうして、これほど支持する人がいるんだろう」

この大手メディア世論調査もまたペテン、デッチアゲだった。

次ページの表を見てほしい。

「テレビ・新聞の世論調査は〈全部〉嘘です！」

ネットによる痛烈告発だ（ブログ「ＪＣＪＫ」）。

安倍内閣の「支持」「不支持」と安保法案への「賛成」「反対」をメディアごとに比較・検証したものだ。

ひと目で驚くのは「地方紙」と「中央紙」の驚愕の格差だ。

地方紙・ネット調査などでは「支持」は「日本農業新聞」七％、「不支持」は、なんと九七％……。そして「福島民報」二八％が最大で、その他は、数％から二〇％台。

「……『埼玉新聞』一六%、『北海道テレビ』一八%、『MXテレビ』二二%、『越谷市』一二%、『名古屋市』一九%……（一部）」

　これが、安倍内閣の正しい支持率なのだ。

　それに対して、大手マスコミ〝世論〟調査の「支持率」は、「読売」五一%、「朝日」四九%、「毎日」四二%、「NHK」四七%、「TBS」四三%、「テレビ朝日」四四%、「フジテレビ」四六%……。ほとんど、横並びで半数近い〝高支持率〟だ。「農業新聞」七%に対して「読売」五一%と七倍以上……！

　大手は、軒並み、地方紙や街頭アンケート、ネット調査よりはるかに高い！

　同じ国民で、このような開きは、絶対にありえない。起こらない。

TV・新聞の世論調査は＜全部＞嘘です！

	安倍内閣	支持	不支持
13	十勝新聞5/8	24%	51%
14年	十勝新聞8/15	26%	？%
	琉球新報8/26	18%	81%
	Yahoo世論調査12/26	9%	89%
15年	福島民報6/29	28%	50%
	埼玉新聞8/29	16%	83%
	日本農業新聞10/28	18%	59%
	北海道TVが生放送で10/8	18%	74%
	MXTVも生放送で調査2/14	25%	71%
	MXTVが再び生放送12/19	22%	77%
	越谷市で街頭シール回答7/8	12%	87%
16年	日本農業新聞1/4	7%	93%
	名古屋で街頭シール回答1/3	19%	81%

	安保法案に	賛成	反対
15年	福島民報6/29	14%	51%
	十勝毎日新聞8/15	3%	96%
	岩手民報8/31	1%	98%
	神奈川新聞9/13	5%	94%
	静岡市で街頭シール回答9/13	2%	94%
	誰も文句が無い、デモ人数の差なら	1%	99%

自民党≒電通に、収入全額を握られた犬＝全国紙とキー局は100%嘘です。

読売新聞	朝日新聞	毎日新聞	産経新聞	時事通信	NHK	日本TV	TBS	TV朝日	フジTV
支持	支持	支持	賛成	賛成	支持	賛成	支持	支持	支持
51%	49%	42%	71%	50%	47%	56%	43%	44%	46%

政府が3年前から「嘘を強制」だから今やバカらしくてコスト数百万円かかる調査は一切やってないはず。

全国紙＝4倍、5倍に捏造値。キー局も＝命令通りに過半数。真実は＝電通と無縁の地方紙で。 JCJK blog

ブログ「JCJK」が調べ上げた安倍内閣の「正確な支持率」

安保法賛成「岩手」一％「産経」七一％

さらに、驚愕は「安保法案」への賛否だ。

「賛成」は「福島民報」一四％が飛び抜けている。その他、「十勝日々新聞」三％、「岩手民報」一％、「神奈川新聞」五％、「静岡市アンケート調査」二％……。

それが、大手マスコミでは「産経」七一％、「時事」五〇％、「日本テレビ」五六％……。

地方紙の世論結果と比較してみよ。「産経」は「岩手民報」の七一倍……。

こんなことは、絶対に起こりえない。

地方紙、中央紙……どちらかが嘘をついている。

街頭調査と大手メディア……どちらかが嘘をついている。

それは、大手マスコミだ。子どもでもわかる。彼らは、確実に闇で〝談合〟している。

国勢選挙結果ですら、〝闇の選管〟から、あらかじめ決められた〝当落〟情報を得ている連中だ。仲間内で、これくらい鉛筆をなめるのは朝飯まえ。大手マスコミのトップは、ほとんど毎夜のごとく安倍首相とメシを食って、密談を重ねている。オトモダチだ。

〝かれら〟のジャーナリストとしての良心は、とっくの昔に腐り果てている。

それに対して律義に調査してきた地方紙やネット調査、街頭アンケートは、信頼できる。

弱みを握られ脅しに屈し

しかし……。この不正告発を行ったブログ氏は断罪する。

「自民党とほぼ同じ電通に、収入全額を握られた犬＝全国紙とキー局は、一〇〇％嘘です」

日本最大の広告代理店・電通の別名は〝D・CIA〟。「押し紙」など全国紙の不正経理などの証拠は、電通を通じて自民党に、すべて筒抜けだ。

それは、民放キー局やNHKも同じ。自公政権は、その「弱み」を握り、マスメディアを恫喝し、犬として手なずけ、完全支配下に置いた。

「政府が三年前から（世論調査での）『嘘を強制』。だから、今やバカらしくて、コスト数百万円かかる調査はいっさいやってないはず」（同ブログ）

その結果、調査結果は「全国紙＝四倍、五倍に捏造《ねつぞう》値」だ。

さらに民放キー局も命令どおりに「支持率」や「安保法案」の「賛成」は過半数……。

告発者は、こう結んでいる。

「……真実は、電通と無縁な地方紙にある」

――大手マスコミが、世論調査まで、捏造している。

あなたは、思わず首を振っているはずだ。そんなことありえない。ウソだ……。

しかし、これが、この腐り果てたこのクニの真実なのです。

大手マスコミと地方紙・市民調査を比較してください。

これでも……捏造ではない……と思うなら、あなたのアタマは相当にいかれています。

安倍内閣に憲法違反のメディア「検閲」組織……!

行政の検閲は禁止（最高裁）

安倍内閣の極秘マスコミ検閲組織が発覚した。

スクープしたのは『週刊ポスト』。二〇二〇年六月五日号で、「官邸の内閣広報室内のテレビ番組監視チームの存在を示す文書を暴露。それに、動揺したキー局番組担当者が「うちの番組は、監視対象なのでしょうか？」と同誌へ不安な問い合わせ……。

「……この監視文書をもとに、官邸は気に食わない報道や、コメンテーターの発言があると公式ツイッターで反論し、報道に〝圧力〟をかけてメディア支配に利用していた」（同誌）

日本国憲法第二一条には、こう明記されている。

――集会、結社及び言論、出版その他、一切の表現の自由は、これを保障する。

検閲は、これをしてはならない。通信の秘密はこれを侵してはならない――

「検閲」の主体について、最高裁は判例で「行政機関が行うもの」と判断している。だから、行政機関である安倍内閣が、密かに行っているマスコミ監視は、明らかに憲法二一条に違反する違憲行為である。

『週刊ポスト』(前出)は、それを真っ向から暴いた。

見事なジャーナリズム精神である。

テレビ、新聞は異様に沈黙

しかし、この報道がなされても、テレビ、新聞メディアは完全沈黙した。マスコミの監視は、明らかに首相官邸の違憲行為なのだ。マスコミ各社は、即座に追加取材を重ね、徹底報道すべき大問題である。

テレビ、新聞は『週刊文春』が報じる芸能人の不倫問題など下世話な下ネタは、一斉に、報道する。しかし、安倍内閣の露骨な違憲行為は、シカトする。

それが、現在のマスコミの腐りきった現状だ。

その意味で、『週刊ポスト』は立派だ。同誌は翌週号でも「追撃スクープ第二弾」を放っている。見出しも勢いがある。

〈……沈黙する大メディアに政権批判の資格はあるか〉

その通り!

〈安倍官邸『反政府ニュース監視』九二二枚、機密文書を全公開する〉

『ポスト』誌の取材によれば、内閣広報室内に、番組監視の極秘チームが存在した。三人編成で、ほとんど専従で、連日、テレビ番組を監視して、出演者のコメントなどを書き起こす作業に従事していた。その発言記録文書は、『ポスト』が入手しただけで、なんとA4判九二二枚……！　これは、二〇二〇年二月一日からわずか一カ月分だ。一日あたり三〇枚も、テレビ出演者等の発言を克明に「検閲」している。

批判的メディアは徹底監視

この「検閲」がきわめて悪質なのは、ターゲットを定めていることだ。つまり、政権に批判的な番組を集中的に監視している。

朝は、『スッキリ』（日本テレビ系）、『羽鳥慎一モーニングショー』（テレビ朝日系）、『とくダネ！』（フジテレビ系）。この三番組だけが監視対象となっていた。昼は、『ミヤネ屋』（日テレ系）、『ひるおび！』（TBS系）。夜は『報道ステーション』（テレ朝系）、『NEWS23』（TBS系）。

これら番組は、一回ももらさぬ綿密な監視対象となっていた。

それ以外は、基本的に監視対象から外されていた。

その違いは、安倍政権にたいする〝批判度〟のちがいだ。

これら「検閲」ターゲットのなかでも『報道ステーション』と『NEWS23』は、重点監視番組である。二〇一四年には、衆院選前に自民党が、その報道ぶりを批判して民放各局に、番組ゲストの選定や街頭インタビューについて〝公平中立〟を求める〝圧力文書〟を出すきっかけとなった番組である。

「安倍政権と因縁《いんねん》のある番組であり、今も〝要注意〟の監視対象になっていることがうかがわれる」（同誌）

週刊ポスト

スクープ入手!! 1か月で922枚の〝報告書〟

玉川徹、岡田晴恵、岩田健太郎……

安倍官邸「反政府ニュース監視」の記録文書

週刊ポスト誌がスクープした

「安倍官邸・反政府ニュース監視記録文書」

批判コメントはすべてを記録

極秘「検閲」チームが記録したのは、「政治」に関連する出演者の発言である。それも、分刻みで書き起こされている。

もう一つは「新型コロナ」に関連する報道。それは、「タイトル」で日付ごとに分類されていた。

そして、出演者のコロナに関連する発言がピックアップされている。

たとえば——三月六日付の文書。

『NEWS23』の〈入国規制、政治決断の背景〉とし、こう記録されている。

〈小川彩佳・キャスター「この規制に踏み切った政府ですけれども、なぜこのタイミングなのかについては、国会でも、その政治的判断の根拠ですとか、これまでの措置とか矛盾しているんじゃないかとか指摘されています」〉

さらに、小川キャスターが安倍首相の〈今が正念場である〉という発言を紹介。

〈評論家・荻上チキ氏「言葉は一個一個強いんですけれども、根拠であるとか、裏付けというのは不透明ですよね（後略）……」〉

これらが逐一、内閣の極秘チームによって文書化され、記録され、検閲されていたのだ。

薄気味悪いとしか、言いようがない。

トップは皆、安倍とオトモダチ

当然、〝問題発言〟には、アンダーラインが引かれる。安倍首相にご注進が及ぶだろう。

そして、これらマスコミ各社のトップは、すべて安倍首相とたびたび、酒席を共にするオトモダチなのだ。「キミのところのあの番組ねえ……」と安倍に耳打ちされたら、社長は凍りつくだろう。その背後には電波法がらみの許認可などの圧力が存在するからだ。

即座に、キャスターの入れ替え、コメンテーターの選定などが頭をよぎることだろう。これが、官邸による「検閲」「監視」「圧力」の〝効果〟なのだ。

この「記録文書」でわかるのは、官邸が特定のコメンテーターに、極めて神経質になっていることだ。最大のターゲットとしてロックオンされているのが『モーニングショー』辛口コメンテーターとして知られる玉川徹氏。

さらに、コロナ問題で、連日、率直に意見を述べている岡田晴恵・白鵬大学教授。彼女は、『アッコにおまかせ！』（TBS系）に出演したさい、和田アキ子やIKKOらとのやりとりまで、克明に記録されていた。

アッコもIKKOも、びっくりだろう。

それだけ、岡田教授が、政権にとって〝監視対象〟になっていることの証しだ。

〝牙〟を抜かれてしまったテレビ報道

監視対象は、コメンテーターだけではない。

クルーズ船「ダイヤモンド・プリンセス」号に乗り込んで、政府の対応を批判した岩田健太郎・神戸大学教授は、〝特別〟監視対象とされていた

彼は「機密性2情報」ファイルに分類。「岩田教授」と特別枠が設けられ、岩田氏が出演した各番組での発言や、他の有識者が岩田教授に関して語った内容などが、なんと一八ペー

ジにわたって詳細に記録されていた。

『ポスト』誌は、こう総括する。

「……各局がどう報じているかを、幅広くモニターするのではなく、批判的な番組やコメンテーターの発言を重点的に収集していることがわかる。それにもかかわらず、本誌報道後も、監視対象となっている局は沈黙を守ったままで、特定の番組や出演者の発言を（なぜ）監視するのか？　の説明を政府に求めようともしない。長年のメディア支配で〝牙〟を抜かれてしまったのか」

まさに、同感である。メディア第一の責務は「権力の監視」である。

ところが、ぎゃくに自分たちが〝監視〟され、〝脅迫〟されているのだ。

さらに、安倍首相が極秘チームに行わせているメディア監視は、憲法二一条に真っ向から違反する「検閲」である。この一点でも、絶対に許してはならないのだ。

SNS台頭、独裁支配の崩壊

『ポスト』誌は、こう結んでいる。

「……大新聞やテレビの報道をコントロールし、政権に都合の悪い事実を国民に知らせないようにする安倍政権の支配戦略は、もはや通用しなくなってきた。政府がゴリ押ししようとした検察庁法改正がSNSを通じた国民の批判の高まりで、断念に追い込まれたように、いまや国民がネットで直接権力を監視する社会になり、大メディアもネット世論を無視できなくなってきた。安倍政権のメディア支配も官僚支配とともに崩壊に向かっている……」

この暗黒支配を終わらせる。安心して暮らせる未来をつくる。
そのために、もっとも力をもっている存在がある。
それは、あなただ――。
あなたが、気づき、目ざめ、言葉を発する。
そのとき、社会は、おどろくほど、変わり始める。
あなたがするべきことはカンタンだ。
電話で政府の担当省庁の番号を入力すればいい。
電話口にだれか出たら、責任者を呼ばせなさい。
思っていることを、ハッキリ相手に言いなさい。
ここまで述べたメディア検閲の違憲行為への抗議をしなさい。
リニアの不正を怒鳴りなさい。
「コロナは生物兵器でないか」と追及しなさい。
「5Gをやめろ!」と命令しなさい。

あなたこそが日本国憲法で定める主権者なのだから。
あなた以上に権力をもつ存在はないのだから……。

【第五章】

「潰《つぶ》す」「逸《そ》らす」「煽《あお》る」マスコミの大罪

——不正選挙、沢尻エリカ、ＳＴＡＰ細胞……メディアの暗黒

投票箱はゴミ箱だ！ 結果はすでに決まっている

ムサシの株主は安倍首相

——以下、目を通していただきたい。

①「都知事選で舛添知事の得票数は、全選挙区において前回猪瀬知事・得票数の四八％だった」（元外務省国際情報局局長・孫崎亨《まごさきうける》氏）

②「鹿児島県阿久根《あくね》市役所の選管（選挙管理委員会）は、期日前投票はすべて（投票箱を）開けて、中の票を操作します」（元阿久根市副市長・仙波敏郎《せんばとしろう》氏）

③「参院選で、出口調査を行ったら、得票率四％で九人中最下位だった公明党、山口委員長が、ほぼトップ当選となった」（杉並区桃井第三小学校・投票所で行った市民グループ）

④「投票結果はあらかじめ決められている出来レース。日本の選挙を仕切ってきたのが、ムサシだ。企業株主はロスチャイルドおよびロックフェラー系だ。個人株主の筆頭は安倍首相である」（マットショー氏）

⑤「ムサシのコンピュータには〝バックドア〟がある。ＩＤとパスワードを入力すれば、開票結果を全部操作できる」（女性システム・エンジニア）

⑥「長崎県諫早《いさはや》市の選管は、開票作業が終わって深夜、密かに集まって、自分たちが封印し

た投票箱を、再び開けて、中の票を操作（すりかえ）していた」（ビデオ映像）
⑦「二〇一二年、衆院選の出口調査（ロイター通信）では、未来の党の得票率七二%、自民党九%の八倍も得票。なのに、結果は六一人中五一人が落選し惨敗。当落は初めから決まっていた」（日本独立党）

投票用紙はゴミ箱へ！

「すでに、このクニは……相当壊れています」

評論家の孫崎亨氏は、しぼりだすように言った。

まさに、そのとおり。彼の告発は衝撃的だ。前々回の都知事選で舛添知事が〝獲得〟した票は、二三区ほか全選挙区（！）で、前回の猪瀬知事の得票数の四八%だった……。

これは、偶然では絶対にありえない。なぜ、開票結果が一律四八%になったのか？

〝闇の力〟が、そう指示したからだ。そこで集計コンピュータに〝四八%〟と入力した。

選挙結果は一瞬で、全区四八%となった。それを、選管は公表したのだ。選挙結果が捏造《ねつぞう》されていることが、バレてしまった……。

「……この操作は、石原都知事の頃から行われてきたようです」（孫崎氏）

〝闇の選対〟で、選挙結果は決められていた！

なら、あなたの投票用紙はどこに消えたのか？

ゴミ箱に投げ捨てられ、燃えるゴミとなったのだ。

ムサシ集計コンピュータに〝裏口〟

結果は自由にイジレル

あなたは、「株式会社ムサシ」の名を聞いたことがあるか？

一九四六年に創業され、以来、一貫して日本の選挙をすべて仕切ってきた。

創業時の個人株主の筆頭は岸信介であり、以来、安倍晋太郎、安倍晋三と一族に受け継がれてきた。

総理大臣の持ち株会社が、日本の全選挙を支配してきたのだ。

この事実だけでも、その公正性は担保できない。さらに、独占禁止法にも違反する。

しかし、日本の新聞・テレビは、この㈱ムサシの存在を、まったく報じてこなかった。

これは視聴者、読者に対する重大な裏切りである。

というより、メディアが政権権力の奴隷であることの何よりの証しである。

一人の女性システム・エンジニアがネットで衝撃告発を行っている。

二〇〇六年から導入された㈱ムサシの自動集計装置コンピュータには〝バックドア〟がある、という。だから、パスワードを入力すれば、外部から自由自在に、すべての選挙結果を

〝いじれる〟。あなたは、あぜんで声もないだろう。

八倍大差で政権交替のはずが……

さらに、腰をぬかすのが前述⑦の告発だ。

このネット出口調査結果は前述のように決定的である。

開票速報には声を失う。投票日、夜八時。テレビ各局で一斉放送された「開票速報番組」では、自民・公明三二五議席の圧倒的勝利……⁉

目を疑うとは、このことだ。そして、「未来の党」はなんと、六一議席中五二人が落選という惨敗……。ここで、㈱ムサシの告発者の証言を思い出してほしい。

「……バックドアから選挙結果は、すべて操作できます」

全国すべての選挙区にムサシは導入されている。だから、すべての開票結果は〝いじれる〟。しかし、現在は、そんなチマチマしたことはやっていないだろう。

「闇の選管」が得票数を決めている

自公大勝は決まっていた

あなたは不思議に思わないか？

テレビ各局の「選挙特番」である。午後八時。投票終了時刻。同時に、六局一斉に「選挙速報」を流す。「自公躍進、野党伸び悩み……」などのテロップが躍る。

さらに、候補者も次々に「当確」が打たれる。

しかし、この時点では、全国すべての投票箱は、まだ投票所にある。

開票場所にすら届いていない。一つの投票箱すら開いていない。

なのに、〝開票〟速報とは、摩訶《まか》不思議である。

すると、テレビ局側は、「出口調査」「街の声」などから判断した……と、言い逃れする。

しかし、わたしの周辺で、マスコミ出口調査を受けた者は皆無だ。

わたしの主宰する「船瀬塾」全員にも聞いたが、一人の手も挙がらない。

つまり、「出口調査」「アンケート」もポーズだけ。

他方で、二〇一二年、ネット上ではロイター通信による市民による出口調査が公表されている。

その結果は、選挙速報とはまったく正反対だ。

じっさいの出口調査では、「未来の党」が八倍、自民に大勝している。

しかし、フタを開けてみたら……自公の〝圧勝〟。

ここで、あなたはイヤでも気づく。

「初めから自公〝圧勝〟は、決まっていた」

マスコミは共犯だ

不思議に思うだろう。テレビ各局選挙速報は、互いに少しの誤差はあるものの、ほとんどが選挙結果とピタリ的中している。

なぜか……？

はっきり言おう。マスコミは選挙〝結果〟の情報を、「闇の選管」から得ている。

だから、当確速報も、外れることはない。あたりまえだ。

「闇の選管」が決めた当落を追認しているだけだからだ。

結論をいおう。〝闇の権力〟と〝マスコミ〟が共犯である。

日本の選挙とは、彼らがでっちあげた空前絶後の〝巨大犯罪〟なのである。

〝闇の権力〟の正体はいわずもがな。世界を暗黒から支配するイルミナティである。

告発ニュースは「潰す」

マスコミの大罪は、犯罪選挙との共犯関係だけではない。

さらに、深い罪がある。それは、これら不正告発を、すべて潰してきたことだ。

目覚めた市民の間からは、ムサシへの疑問、告発の声を多く上げられてきた。

しかし、新聞・テレビでムサシをとりあげたメディアは絶無である。

そのホンネは「共犯関係にある相手を表に出せませんヨ」。

私の盟友リチャード・コシミズ氏は、日本独立党を立ち上げ、積極果敢に不正選挙に立ち向かっている。支援者たちと裁判闘争を展開している。

その一人の男性は呆れる。

「神戸市・兵庫一区の開票所では、開票作業すら行われていない。しかし、裁判所は、その証拠すら採用しない」

そうして、不正選挙の訴えは、次から次へと棄却する。

その理由が「証拠不十分」なのである。しかし、棄却の嵐である。全国の怒れる市民たちが、各地で不正選挙の告発を行っている。

裁判だけで一〇〇件を超える。

しかし、新聞・テレビどころか、週刊誌ですら黙殺だ。

そうして、これら不正選挙告発の動きは潰されている。

沢尻エリカ逮捕で、国民の目を「逸《そ》らす」

逮捕予定者リストあり？

「……まただよ！　政府が問題を起こし、マスコミがネタにし始めると、芸能人が逮捕される。これもう冗談じゃなく、次期逮捕予定者リストがあって、誰かがゴーサイン出しているのでしょう」

これは、沢尻エリカ逮捕の一報を受けての、ラサール石井氏のツイート。

このとき安倍首相は「桜を見る会」スキャンダルで追及の矢面に立っていた。

マスコミも連日、この問題を報道していた。

すると、有名女優・沢尻エリカ、違法薬物所持の疑いで逮捕――！

一報がマスコミを駆けめぐった。桜問題を追っていたテレビ各局も、今度はおっとり刀で、そっちの取材に奔走する。視聴者も、エリカ様逮捕のニュースに釘付けとなる。

ラサール氏の嘆きは正しい。

これが、マスコミのテクニック第二弾、「逸らし」の法則である。

つまり、大衆の目を重大な問題から「逸らす」。

政権不祥事のたび逮捕劇

ラサール氏の指摘どおり、そのための「逮捕予定者」リストは、まちがいなくあるはず。

すでに、安倍政権に不都合なニュースが流れるたびに、有名芸能人が逮捕されている。

大衆を馬鹿にしたロコツな「逸らし」作戦だ。

たとえば――。

●ピエール瀧：逮捕の時期、米軍普天間飛行場の辺野古移設をめぐり、沖縄県民投票で「NO！」が安倍政権に突き付けられた。

この辺野古ショックを打ち消し、国民の目を逸らすために、ピエールは逮捕された。

●清原和博：安倍首相の盟友、甘利明経済再生相に口利きワイロ一〇〇万円受け取り疑惑が浮上。マスコミ各社が騒然となった矢先の逮捕劇だった。

●ASKA：このとき安倍首相は「集団的自衛権」の〝解釈改憲〟を表明、国民に一大ショックを与えた直後だった。

この有名歌手のドラッグ逮捕で、国民の目は、完全に「逸らされた」。

●押尾学・酒井法子：これは二〇〇九年、衆院選の投開票の直前、メディアに逮捕ニュースが流れまくった。それでも、民主党が勝利、政権交替している。

それら逮捕劇は、すべて、政権不祥事から国民の目を逸らすためとみて、まちがいない。

政権に忖度《そんたく》、そらしニュース

国民の目を「逸《そ》らす」。メディア対策は、有名人逮捕にとどまらない。

権力とメディアの連携プレーにも要注意だ。

政権寄りのメディアは、忖度して目を逸らす話題を流す。

芸能人の不倫スキャンダルも格好のネタだ。庶民は無条件で飛びつく。

大衆の関心を、政治課題からゴシップに逸らす。

そのためにはハッピーニュースも動員される。スターの結婚、出産……などなど。

日本人のノーベル賞受賞の話題なども、政権への注視を逸らす好材料だ。

マスコミの中でも、特にテレビは電波割り当てを受けている許認可事業。いわば、政権に首根っこを押さえられている。だから、どうしても報道は、権力寄りになる。

テレビをつけると、あまりに馬鹿ばかしい話題、ニュースのオンパレードなのに、あきれ果てる。

なかでも動物ネタは、もはや幼児番組のレベルだ。

街にイノシシが、サルが、シカが、クマが出た……。警察まで出動しての捕物騒ぎを延々と放映する。「他にニュースがないのか！」と言いたくなる。

しかし、「他のニュースを流さない」ために、飽きもせず動物ネタで、放送時間を埋めているのだ。

のぞき、盗撮、痴漢、レイプなどのニュースも、毎日のように流される。

下世話な下ネタのニュースを垂れ流すことで、庶民の政治感覚をマヒさせているのだ。

「STAP細胞はない！」恐るべき魔女狩り

日大アメフト騒動の教訓

マスコミの大衆操作、三番目のテクニックは「煽《あお》り」だ。

一つの話題で、大衆を煽りに煽りまくって、関心を一点に集中させる。

たとえば、アメフト・タックル問題。

大学アメリカン・フットボールの一選手が危険なタックルをした。たったそれだけ……。

なのに、メディアは天下の一大事のように連日、大々的に取り上げる。

テレビの放映枠の多くの時間が、このささいなアメフト問題に費やされた。

メディアが、この問題に火を付け、煽りまくった結果である。

バッカじゃなかろうか！　と思う。本当にバカなのだ。

作る側も見る側も同じレベルに堕《お》ちている。これを、愚民化というのだ。

大衆は大切な問題から目を逸らされ、どうでもいい問題に引き込まれる。

まさに、〝洗脳〟社会だ。

このメディアによる「煽り」は、その後も飽きもせず続いている。

アマ・ボクシング理事長醜聞、レスリング監督パワハラ、テコンドー協会騒動……。

マスコミは、スポーツ界をエサ場のようにつつき回している。

小保方さんに集中砲火

近年、マスコミの最大「煽り」といえば二〇一四年のSTAP《スタップ》細胞騒動だろう。

私は、この社会問題を総括する一冊の本をまとめている。

『STAP細胞の正体』（花伝社）だ。

あのメディアあげての「STAP細胞はない！」の大合唱のとき、「ある！」と言い切ったのは、同書のみ。帯の文言に注目してほしい。

「STAP細胞はある！　それはリンパ球だ」

当時を思い起こしてほしい。テレビも新聞もSTAP細胞一色。

矢面《やおもて》に立たされたのが理化学研究所（理研）の研究員、小保方晴子さん。

とにかく、そのバッシングは、凄まじかった。そして、メディアは大合唱した。

「STAP細胞は存在しない！」「ペテンだ！」「詐欺だ！」「特許を下ろせ！」

あまりのマスコミ攻撃の凄まじさに、上司の笹井芳樹教授（京大）は、心労のあまりに自殺してしまった。そして、他殺説までいまだささやかれている。

まさに、異常極まりない社会現象だった。

うら若い小保方さんは、マスコミの十字砲火を浴びながらも、やつれ果て、涙を浮かべ、それでも、こう言い切った。

「ＳＴＡＰ細胞はあります！　あるんです」

iPS細胞はペテン、STAP細胞は本物

ＳＴＡＰ細胞はリンパ球

『ＳＴＡＰ細胞の正体』の監修を快諾してくださったのは森下敬一博士（国際自然医学会会長）。半世紀前に、闇に葬られた「千島・森下学説」創始者の一人。

わたしが心より私淑する医学の師匠でもある。

森下先生は、ニコニコ笑顔でこう言い切った。

「ＳＴＡＰ細胞はありますよ。それは、リンパ球の一種です。小保方さんは、偶然にそれを発見したのでしょうね」

血球細胞は、万能細胞の一種だ。だから、体細胞に変化するのは当然なのだ。

「千島・森下学説」の根本理論は――食は血となり肉となる――。

「栄養素」は「血球細胞」となり、「体細胞」へと変化する（同化作用）。

さて――。ＳＴＡＰ細胞バッシングで、漁夫の利を得たのがｉＰＳ細胞だ。

京大研究チームのリーダー山中伸弥教授は、ノーベル賞を受賞するなど、飛ぶ鳥を落とす

勢い。さらに、安倍首相は「一〇年間で一一〇〇億円の補助金」を国会でブチあげた。だから、国民大衆は、iPS細胞はセーフ、STAP細胞はアウト……と、思い込んでいる。

ところが、私にいわせれば、iPS細胞こそアウト。

ぎゃくにSTAP細胞はセーフ、なのだ。

ブレーキ壊れた欠陥車

iPS細胞こそペテンだ！　こういったら、みなビックリする。

「ノーベル賞をもらったのに……!?」。そのノーベル賞自体が〝洗脳〟装置なのだ。

同財団に大量の寄付をしているのがロックフェラーとロスチャイルド財閥だ。

つまりノーベル財団は〝双頭の悪魔〟の支配下にある。

〝かれら〟の指示、命令に背くことはできない。

「山中教授のiPS細胞にノーベル賞をやれ」と指示したのはロックフェラーであろう。

人類に再生医療〝幻想〟を植え付けるための〝装置〟として使おうとしたのだ。

iPS細胞が、なぜペテンかを解説しよう。

そもそも、iPS細胞を作るときに四カ所も遺伝子組み替えを行っている。

さらに、RB、P53という二種類の細胞増殖抑制酵素を破壊している。

つまりは、ブレーキのない自動車と同じ。細胞増殖は暴走し、ガン化する。

さらに、京大チームはiPS治療の成功率を〇・二％と公表している。

つまり一〇〇〇回行って九九八回は失敗する。そんな治療法はありえない。

さらに、同チームは一回の治療費を約二〇〇〇万円と公表。

「安く誰でも再生治療が受けられる」という安倍首相の公約は、ウソ八百だったのだ。

iPS研究費、打ち切り

さらに、山中教授には、小保方さんと同じ論文捏造《ねつぞう》が発覚している。

しかし、不思議なことに、マスコミは『週刊新潮』をのぞいて沈黙したまま。ほんらいバッシングを受けるべきは、ペテン細胞で一一〇〇億円もの公費を騙し取る山中教授の方なのだ。

しかし、小保方さんをあれほど袋叩きにしたマスコミは、山中教授にはいっさいの批判をしない。その理由は、いうまでもない。

背後に〝闇の勢力〟ロックフェラー財閥が控えているからだ。

しかし、なにごともメッキははげるもの。ノーベル賞のお墨付きはどこへやら、iPS細胞の臨床実験は、失敗の連続だ。内部情報によれば、眼球網膜の再生iPS治療の二例のうち一例が、ガン化したという。京大チームはパニックになった。

しかし、メディアはいっさい流さない。

世界から大量の資金を集めた企業の株価も大暴落。iPS幻想は吹き飛んだ。

さらに、決定的な通告が京大チームを直撃した。二〇一九年一一月、安倍政権が、ついにiPS細胞の研究助成打ち切りを決定したのだ。これは、遅すぎる決断だ。わたしは、すでに二〇一五年の時点で、iPS細胞の致命的欠陥を前出の著書で、詳細に告発している。

その後、iPS細胞臨床テストで、「無効」「失敗」「発ガン」などがあいついでいるのも当然だ。

安倍政権は、これ以上資金援助を続けたら、責任問題となる……。

そう判断したのだろう。つまりは、iPS細胞のペテンが公になって、国会などで責任追及される前に、幕引きを図ったのだ。

ハーバード大、STAP細胞の特許申請

マスコミ使って小保方叩き

小保方さんの汚名がそそがれる一瞬が来た。

二〇一六年五月、驚きの事実が明らかにされた。

「STAP細胞の特許出願。米ハーバード大学が世界各国で……今後二〇年間、権利独占する」という。

同大付属病院が、日本、米国、EPO（欧州特許庁）、カナダ、オーストラリアなど、世界各国で、STAP細胞製法特許の申請を行った。特許申請の費用は約一〇〇〇万円という。

それで、今後二〇年間、STAP細胞の製法特許を独占できる。

私はSTAP細胞を取材したとき、関係者からこう聞いて仰天した。

「STAP細胞の特許価値は、数千億円などではありません。兆円単位の利権です」

そこで、異常な魔女狩りともいえる小保方さんバッシングの理由がわかった。

それは、理研にSTAP細胞の特許申請を諦めさせ、下ろさせるためだった。

〝闇の勢力〟は、あらゆるマスコミを使って、猛攻撃を加えた。

まさに、小保方さんは、その人身御供《ひとみごくう》とされたのだ。

小保方さんに謝れ、賠償しろ！

マスコミの総攻撃の前に、貴重な人命まで失われた。

理研は、STAP細胞の製法特許申請の取り下げという苦渋の決断に追い込まれた。

悪魔たちは、歓喜の祝杯をあげたことであろう。

そうして、ゆうゆうと、〝かれら〟はSTAP細胞の特許申請を行い、全世界での利権を独占した。

しかし、その特許申請が、小保方さんの正当性を証明することになった。

皮肉といえば皮肉である。しかし、彼女の潔白は証明された。

「STAP細胞はない！」と、魔女狩りでうら若き乙女を血祭りにあげたマスコミこそ、誤っていた。こちらこそが、真の悪魔だったのだ。

ハーバード大の特許申請は、彼らが決定的に誤っていたことを裏付ける。

わたしは、全マスコミに言いたい。

小保方さんの前で手をついて謝れ！　謝罪記事を載せろ！　賠償の慰謝料を払え！

ハーバード大情報もボツ

しかし……。

あれほど攻撃しまくっていたマスコミ全社が、口をぬぐって知らぬ顔である。謝罪記事を載せたメディアは皆無。

それどころか、ハーバード大学によるSTAP細胞特許申請のニュースを、日本のメディアは、いっさい流さなかった。

いや、流せなかった。「STAP細胞はインチキ！」と拳を上げて、一人の女性を袋叩きにしたのが、日本のマスコミである。

今さら、ゴメンナサイ……STAP細胞ありましたね、ではバツが悪い。

このニュースが流れたら、自分たちがポカやったことが、バレてしまう。

「だから、ハーバード大のニュース、ボツにしといてね……」

これが、日本のマスコミの腐った体質なのだ。

卑劣、卑怯、人非人……。

わたしは、彼らを腹の底からケイベツ、唾棄《だき》する。

【第六章】

「テレビ」は見るな、「新聞」は取るな

──日本のメディアは、終わっている

メディアを支配してきたイルミナティ

周波数足すとすべて「18」

日本のメディアは、敗戦直後から、戦勝国アメリカに支配されてきた。
そして、そのアメリカを支配してきたのがイルミナティである。
だから、結局はイルミナティに支配されて、今日にいたる。
ここまで書いても、マサカ……と、本気にしない人がほとんどだろう。
その証拠の一つをお見せしよう。
――以下は、戦後、開局したAMラジオ放送の周波数だ。
その数字を足すと、すべてが「18」になる。
「18」とは「6＋6＋6」で、イルミナティを象徴する数字だ。
じっさいに、足してみよう。

●NHK第1……594キロヘルツ　5＋9＋4＝18
●NHK第2……693キロヘルツ　6＋9＋3＝18
●TBSラジオ……954キロヘルツ　9＋5＋4＝18

●文化放送…………1134キロヘルツ　11＋3＋4＝18
●ニッポン放送……1242キロヘルツ　12＋4＋2＝18
●ラジオ日本………1422キロヘルツ　14＋2＋2＝18

すべて、数字の和が18となる。これは、偶然では、絶対におこりえない。

つまり、初めから計算されている。

敗戦後、連合国軍最高司令部（ＧＨＱ）の〝闇の担当者〟により、各ラジオ局の周波数を足すと18になるよう、仕組まれていたのだ。

〝闇支配〟のメッセージ

これら、放送用周波数は、電波法によって各放送局に割り当てられる。

しかし、配分を考えたのは、日本の担当者ではない。

明らかにイルミナティの命を受けた人物が配分しているのだ。

いったい、何のために、このような手の込んだ操作を行ったのか？

それは、日本の放送メディアは、自分たちが支配している――ということを知らせる「暗黙のメッセージ」なのだ。

放送関係者ですら、この事実に気づいている人は、まれだろう。

〝かれら〟は常に潜んで、闇から支配しているのだ。

「我々の力は、表に現れないように、注意しなければならない」（M・ロスチャイルド戦略書）

ただし、暗黙メッセージは、世界中に潜ませている。

たとえば、イルミナティ〝双頭の悪魔〟の一人ロックフェラーが所有するニューヨーク五番街の豪華ビルの入口と頂上には、〝666〟の数字が刻印されている。

もう一人、欧州の盟主ロスチャイルド所有ビルにも〝666〟の標記が掲げられている。

〝かれら〟イルミナティは、インターネットも支配している。

多くのアドレス・トップに来る、おなじみ〝WWW〟……。

これは、〝World《ワールド》 Wide《ワイド》 Web《ウェブ》〟の略だといわれている。それは、まちがい。

それは、ユダヤのヘブライ語アルファベットの〝六番目〟に来る文字に相当する英文字だという。

占領国「プレスコード」による言論弾圧

削除、発禁、没収、廃棄……

日本人は、馬鹿正直で、お人好しだ。

敗戦後、日本にやって来るアメリカ軍を、〝解放軍〟だとかんちがいした。

しかし、そのアメリカ軍を支配していた、さらに強大な力（イルミナティ）が存在していたのだ。

アメリカは、日本に民主主義をもたらしたといわれる。それは表向きの話だ。

GHQは、まず、新聞などの報道機関の統制に着手した。

それが「プレスコード」だ。

これに基づき、徹底した「検閲」が実行された。

そこで、以下が削除・発禁とされた。

「アメリカ、ロシア、英国、朝鮮人、中国……その他、連合国批判」「極東軍事裁判（東京裁判）批判」「検閲制度への言及」「第三次大戦への言及」「冷戦への言及」「ナショナリズム」……。禁止表現は三〇項目に及んだ。

この「プレスコード」を根拠に、一般市民の手紙・私信のうち、月に四〇〇万通が開封され、検閲された。

さらに、七七六九点の書籍が、書店や図書館などから没収され、廃棄された。

たとえば、壺井栄の小説『石臼の歌』は、原爆で家族を失った登場人物のくだりが、すべて削除された。

このような事実を、日本人全員が「知らなかった」。

なぜなら、この「検閲」に触れる言論、報道そのものが厳禁だったからだ。

この「プレスコード」による日本人の言論・報道監視は現在も形を変えて、引き継がれている。

岸信介にCIA秘密資金一五〇億円！

工作員となった岸、正力、児玉

GHQ情報部門のスパイ組織は、指揮のジャック・キャノン少佐の名前から、俗称「キャノン機関」と呼ばれた。多くの工作員を傘下に従えていた。

目的は戦後日本社会の徹底した監視だ。

当然、新聞、雑誌、ラジオなどにも目を光らせていた。検閲ベースとなったのが「プレスコード」だ。その他、拉致、監禁、謀略、殺人などあらゆる非合法活動を展開していた。

一九四九年、国鉄三大ミステリー事件「下山事件」「三鷹事件」「松川事件」にも関与が疑われている。

ちなみにキャノン少佐は退役後、米本土テキサス州で、胸に銃弾二発を撃ち込まれた死体で発見された。享年六六……。

GHQとキャノン機関を引き継いだのがCIAである。

かれらは、巣鴨プリズンに収容されていたA級戦犯容疑者に目を付けた。

利用価値があると着目したのが、岸信介、正力松太郎、児玉誉士夫だ。三人を裏口から釈放するや、CIA工作員として指名した。

売国奴として生きる

岸、正力、児玉の三人は、A級戦犯として絞首刑になるより、アメリカの走狗《そうく》となる道を選んだ。そして、それぞれの役割を分担した。

岸信介は日本の首相になり、日米軍事同盟を結ぶ。正力松太郎は原子力委員長となり、原発を推進する。児玉誉士夫は日本の右翼勢力を統括する。

以来、三人はCIAの命令に忠実な走狗として生きることになる。

元特高《とっこう》警察幹部で、原発となんのゆかりもなかった正力松太郎が、初代原子力委員長に就任している。それはCIA工作員ゆえの〝出世〟である。

ちなみに、彼はCIA内部では、暗号名〝ポダム〟と呼ばれていた。

さらに、五〇年を経て公開された公文書には、工作員、岸信介に一〇年間にわたってCIA工作資金、約一五〇億円が送金されていたことが記録されていた。

つまり、わが国の首相は、アメリカが送り込んだCIA工作員であり、売国奴だった。

安倍晋三首相が、岸の直系の孫であることを、忘れてはならない。

ＣＩＡスパイが、日本メディア王へ！

イルミナティの僕《しもべ》

正力松太郎の人生こそ、日本メディアの象徴である。

彼はＣＩＡ工作員となり、原発推進を掲げることでアメリカの絶大なる信頼と庇護《ひご》を受けた。マスコミの世界でも読売新聞、日本テレビ、さらには読売巨人軍、全日本プロレスなど、次々に手中に収めていった。

正力に冠された称号が〝メディア王〟。

こうして、彼は日本のメディア界に首領《ドン》として君臨する。

しかし、その正体は、れっきしたＣＩＡ工作員であり、原発マフィアの走狗であった。

世界の原発利権を掌握しているのはロスチャイルド財閥である。

だから、日本のメディア王は、イルミナティの忠実な僕なのである。

正力が、いかにアメリカにとって、忠実な〝犬〟であったか？

それは、本国に宛てたＣＩＡ報告書でもうかがえる。

「……〝ポダム〟との関係が十分に成熟したものになっている。そこで、彼らに具体的な共同作戦の申し出ができる。〝ポダム〟は自らも認める攻撃的なまでの反共主義者である。だから、○○○（ＣＩＡ職員）が得る最大利益は、〝ポダム〟の資産（読売新聞と日本テレビ）を活用する日本共産党への工作（攻撃）提案である」

つまりＣＩＡは、読売新聞と日本テレビを使った巧妙な反共キャンペーンを提起しているのだ。

これは、日本のマスメディアが、アメリカのスパイ組織の〝道具〟として使われていることを示す。それは、今も変わらない……。

「原発批判は書かせネェ」

私は著書『原発マフィア』（花伝社）にこう記した。

「……（米政府は）ここまで、あからさまな公文書を公開していいものか？　他人事《ひとごと》ながら心配になってしまう。これを読んだら『読売新聞』や『日本テレビ』のまじめな社員は絶望的な気分になってしまうのではないか？　それは、これらマスメディアを信じて購読したり、視聴してきた国民も同じ。しかし、現代のマスメディアもまったく同じではないか。つい最近まで、マスコミ広告で、『原発はクリーンなエネルギー！』と、堂々と電力会社も政府も広報してきた。まさに、開いた口がふさがらない悪質キャンペーンでありながら、まったくチェック機能は働かず、３・１１に突入した」

そして、大正力《だい》の直属部下が、現在の社主、渡邊恒雄である。弟子は、師匠と瓜二つだ。

私の友人の一人に読売の記者Hさんがいた。

気さくな人だったが、仕事について尋ねると、力なく首を振った。

「……ウチは、『社論』がシロと言ったらシロ、クロと言ったらクロ！」

「『社論』って何？」と尋ねると「ナベツネだよッ！」と、吐き捨てるように言った。

このナベツネは、常日頃から豪語している、という。

「オレの眼が黒いうちは、原発批判の記事はぜったい書かせねぇ！」

これでは、記者が金縛りになるのも当然だ。

CMは、子どもだましの詐欺だらけ

市場はバカで構成される

「……CMは、詐欺ギリギリがいいんですよ」

偶然出会った電通マンは、身振り手振りをまじえて自信たっぷりに語った。

こちらは、あぜんである。

この広告ディレクターは、電通広告は「サギに近い」ということを自慢している！

じっさい、戦後一貫して電通は、大衆洗脳機関であった。

「もっと買わせろ」「もっと捨てさせろ」「贈り物をさせろ」……これは、かつての電通社長が社員にハッパをかけたときの「鬼十訓」である。

「世の中は、めあき千人、めくら千人、残りの八千人はバカである。市場とは、このバカで構成される」と言い放ったのも同じ電通社長だろう。

はじめから、消費者をバカにしているのだ。

だから、テレビをひねるとバカ相手としか思えないCMが、大氾濫している。

幼児化、愚民化、動物化……たとえる言葉がない。

それをオカシイと思わず、黙って見ているあなたの頭の中身も相当おかしくなっている。

愚民化CM、危険なCM

その愚民化CMも、内容がサギだから犯罪的だ。

いくつか、例をあげる。

①美白化粧品：化粧品成分に、肌を白くする生理的効能はない。
完全に詐欺であり、薬事法にも違反している。
②香りの洗剤：合成洗剤は、せっけんより「汚れ落ち」がはるかに劣る。
それを「人工香料」でごまかしている。化学物質過敏症を発症させるリスクがある。

自然で無添加の㈱シャボン玉せっけんをおすすめする。ちがいに仰天するはずだ。

③シャンプー・洗剤：「髪や地肌をすこやかに」は完全に詐欺。成分は皮膚毒物だらけ。ハゲ、抜け毛の最大原因をふりかけている。自然なせっけんシャンプーを！

④ファブリーズ：「ファブリーズで洗おう」がまずウソだ。「洗う」とは水の中で、こすり、もむ……などで汚れを起こすことだ。さらに配合殺菌剤は、大人でも約三～四グラムで死亡する猛毒物である。菌は死んでも毒物が肌着、衣類などに残るのだ。恐ろしい……。

⑤ボラギノール：「痔にはボラギノール」の成分は強力外科用麻酔薬。神経をマヒさせているだけ。血行も阻害されるので、塗るほどに痔は悪化する。

⑥フェイタス：「消炎鎮痛剤は絶対に使ってはいけない」（安保徹《あぼとおる》医学博士）

痛みが一時的に消えるのは血行阻害で神経をマヒさせるだけ。血行不良で症状は悪化し、万病の原因となる。その他、類似の鎮痛剤も同じ。

⑦風邪薬：「風邪は寝てれば治る」。市販風邪薬にはＳＪＳ（スティーブン・ジョンソン症候群）という重大副作用がある。半数近くが死亡する。

⑧目薬：「効能」は「目のかゆみ」「充血」。そして、成分の「副作用」は「目のかゆみ」「充血」（！）だから、やめられなくなる。バカバカしいの極致だ。

⑨リポビタンＤ：ネズミに飲ませると、水道水を飲んだネズミよりも早く溺れた。

⑩伊藤ハム：「ハムなど加工肉の発ガン性は五段階で最凶」（ＷＨＯ＝世界保健機関）

「お世話になったあの方に贈る」のは「死ね」というにひとしい？

……まだまだあるが、あげていればキリがない。

わたしの著書『買うな！使うな！』（花伝社）を、子どもにも読ませてください。

海外にない記者クラブは独禁法違反だ

自縄《じじょう》自縛《じばく》で窒息死

「書けない」「流せない」。日本のマスコミは、完全に自縄自縛におちいっている。

上からのイルミナティ支配。下からは政権・スポンサーの突き上げ。

さらに横からも五つもの呪縛《じゅばく》が締め付ける。

①記者クラブ制度：世界に類を見ない、日本独自の制度だ。官公庁各部門ごとに記者クラブがある。部屋代から冷蔵庫のビールまで官公庁持ちだ。事務を手伝う担当職員も付く。
日銀記者クラブにいた友人記者も苦笑い。

「……冷蔵庫にはいつも酒がビッシリ。飲み放題。事務員が付いてコピーからなにから、やってくれる。まあ。はやくいえば癒着《ゆちゃく》だね」

つまりは〝ワイロ〟〝買収〟である。これで、日銀告発記事など書けるわけがない。

クラブ会員社でないと記者会見にも出られない。完全な独占禁止法違反だ。記者は発表ペーパーをなぞって記事を書くだけとなる。

だからメディアは、権力の〝洗脳〟装置に堕落した。

②メディア相反《そうはん》：これも日本独自の制度だ。

日本では、各テレビ局が各々、各新聞社系列となっている。テレビ朝日は朝日新聞、日本テレビは読売新聞、TBSは毎日新聞、テレビ東京は日経新聞……といった具合だ。日本では誰もがあたりまえと思っている。しかし、海外ではありえない。

この「メディア相反」は、法律で禁止されている。

活字メディアが放送メディアを所有すると、それだけ競争が阻害されるからだ。

③電波法支配：電波は公共の財産である。テレビ、ラジオ局などは、その電波を使って利益をあげている。彼らに独占的に公共財を使用する権利を与えているのが政府だ。

つまり、マスメディアの公共性をかんがみ独占使用を認めている。だから、許認可事業なのだ。認否の権限は政府（総務省）にある。つまり、政権与党は、許認可権をちらつかせて、放送局に圧力をかける。具体的監視と処分を行うのが放送法である。

つまりは、この二つの武器で、権力はメディアを監視・利用している。

④国有地払い下げ：大手メディア本社などの土地は、かつての国有地が、極めて安価で払い下げられたものだ。それだけ新聞社は権力に恩義を感じている。

それこそ、一種の利益供与だ。この弱みがマスコミの権力批判の矛先《ほこさき》を鈍らせている。

⑤権力との癒着：新聞社やテレビ局トップは、頻繁《ひんぱん》に安倍首相と酒食を共にしている。その回数は判明しているだけで五〇回以上の記録がある。しかし、それは非公開だ。

たとえば、コロナ対策会議をわずか一〇分で切りあげた安倍首相はその後、産経新聞社長との会食に三時間も費やしている。目に余る癒着ぶりだ。

さらに、マスコミ首脳・幹部たちは、各省庁の審議会委員に名を連ねる。つまり、ほんらい権力をチェックする役割のメディアのトップが、権力に取りこまれている。

新聞・テレビは敵だ！ 潰さなければ明日はない

御用メディアNHK

「社会の公器」「社会の木鐸《ぼくたく》」——そんな言葉は、とっくに死語となった。捏造《ねつぞう》「選挙速報」、でっちあげ「世論調査」、権力とベッタリ「癒着」……。

今や新聞・テレビは、国民の敵だ！ 潰さなければ日本の明日はない。

私は新聞を取るのをやめた。『東京新聞』だけは支援しようと購読を続けていた。

それもやめた。見限ったのだ。

まず、切り抜くような記事が、ほとんどない。権力チェック機能を放棄している。

たとえば、リニア中央新幹線の致命的欠陥。まったく、触れない。

つまりは、国民の〝洗脳〟装置である。それは、他のメディアも同じだ。

NHK受信料も不払いだ。全国で未払い世帯は四〇〇万世帯にのぼる。

NHKと権力との癒着ぶりは、ときおり洩れる情報だけでも、ロコツだ。

それは、自公政権の、広報機関と化している。

予算、経営委員の人事などは、政権党に牛耳《ぎゅうじ》られている。その正体は、政府の御用メディアなのだ。国営放送なら税金でまかなえばいい。余計な受信料など取るな！

子会社を持ち広告費を取るNHK

「不払いの方の意見を聞かせてほしい」

数年前、NHK新入職員が拙宅にやって来た。

そこで「NHKは公共団体だから、利益なんて追求しないんだな？」と聞くと「ハイそうです」という。

「なら、どうして利益を追求する株式会社、NHKエンタープライズを子会社に持っているんだ！」

新人クン、絶句。「わかりません……」。顔がひきつる。たたみかける。

「かつて、人気番組『プロジェクトX』担当者が企業を回り、三〇〇〇万円で御社の番組を作ってあげます、と営業していた。民放ならまだしも、公共放送のＮＨＫがヤミ広告費を取ってどうする？」

すると、青ざめた彼は、「ボクわかりません、わかりません……」と、手をふりながら退散していった。

かくも、ＮＨＫの実態はデタラメ。彼らは政権や、さらに背後のイルミナティの呪縛から逃れられない。だから、あらゆる場面で巧妙な〝洗脳〟が行われる。

『ためしてガッテン』などは『だましてガッテン』と番組名を変えたほうがよい。

ＮＨＫ「ヤクザ」はダメ！

そして、ＮＨＫ内部では、ことなかれ主義が蔓延している。

私の親友の映画評論家Ａ氏が、ＮＨＫのラジオ番組に出演した。

収録で黒澤明の『酔いどれ天使』に登場した三船敏郎に触れ、「ヤクザを演じてたんですが……」との発言にストップがかかった。

「ヤクザという言葉はダメです！」

Ａ氏は絶句（協議の末、その表現しかないという理由で、許可はされたが……）。

ＮＨＫ内部で、このような〝言葉狩り〟が行われているとは……。

これでは、活力のある番組などできるわけがない。

こうして、毒にもクスリにもならない、ぬるま湯のような番組が垂れ流されていく。

ネットフリックス快進撃！テレビは負けた

映画が空から降ってくる

「テレビは、終わったな……」

そう確信したのはネットフリックス（Ｎｅｔｆｌｉｘ、以下ネフリ）を見始めたときだ。月額わずか一二〇〇円（標準プラン）で、優に一〇〇〇を超える映画、ドキュメント番組が見放題。それも、家族五人が五台の端末で観賞できる。離れて住んでいても関係ない。だから、一人当たりの視聴料は、わずか二四〇円という安さだ。

ネフリで感動したのは、各々の作品の完成度の高さだ。オリジナル作品『ＲＯＭＡ《ローマ》』は二〇一九年度の米アカデミー賞一〇部門にノミネート。作品賞は逃したものの監督賞など四部門に輝いた。それが、映画館での公開前にネフリで観ることができる。

わたしが感動し、周囲の人たちに加入を勧めるのは映画もさることながら、ドキュメントのクオリティーが圧倒的だからだ。主題、映像、照明、音響、演出……どれをとっても世界トップ水準の作品がメジロ押し。それを、わたしは六五インチの大画面で楽しんでいる。もはや、映画館に足を運ぶのがバカバカしくなる。

そう……ネフリの登場で、既成映画も終わった。

まさに「映画が空から降ってくる……」。

年収二兆円！ 世界最大に急成長

ネットフリックス快進撃の秘密は、その経営システムにある。

わずか十数人の若者たちが「自分の好きな映画を観たい」と始めた。

それが、設立わずか二〇年で売上高二兆円超という世界最大の映画会社に急成長した。

ネフリCEO、リード・ヘイスティングスは明言する。

「……目標はコンテンツの充実。それのみです」

すべての収益は作品クオリティーに費やす。膨大な会員リスト情報も映像配信サービスのみに用いる。通信や広告など、他の事業への進出はいっさいしない。

作品の品質に注ぐ情熱が、『ROMA』のような、極めて芸術性の高い作品を次々に生み出している。その経営モデルは従来の映画産業の常識を根底から覆した。

それまでの映画ビジネスは、作品を映画館で上映しても「当たるか？」「外れるか？」で天地の差があった。まさに、バクチ商売。しかし、ネフリは、会員からの会費という定収入がある。先に資金が入って、それから製作する。従来とは逆だ。

だからリスクを恐れることなく潤沢な製作費を投入して作品を完成させることができる。

もはや、ハリウッドさえ、終わったのだ。
いまや、幼児番組レベルに堕落した日本のテレビが、立ち向かえるわけがない。
映画界、そしてテレビ業界は、ネフリに完全敗北した。あとは、滅びるのみである。

「朝日」リストラ開始、新聞崩壊が始まった

押し紙、新聞社の詐欺

新聞も凋落《ちょうらく》ぶりがはなはだしい。
右肩下がりの部数減は、地獄へ逆落《さかお》としだ。
新聞の総発行部数は、一年で二二二万部という猛烈ないきおいで減っている。
各紙とも二〇一〇年代半ばから急激に部数が減っている。
とくに最大手「読売」「朝日」の凋落ぶりが激しい。
しかし、この〝部数〟にもカラクリがある。
それが「押し紙」という不正だ。
定期購読分を超える新聞を販売店に強制的に押し付ける。
それで「押し紙」。販売店は、ビニール梱包ごとに燃えるゴミで出している。
各ホテルチェーンなどに無料で配る「押し紙」もある。

日本の新聞発行部数

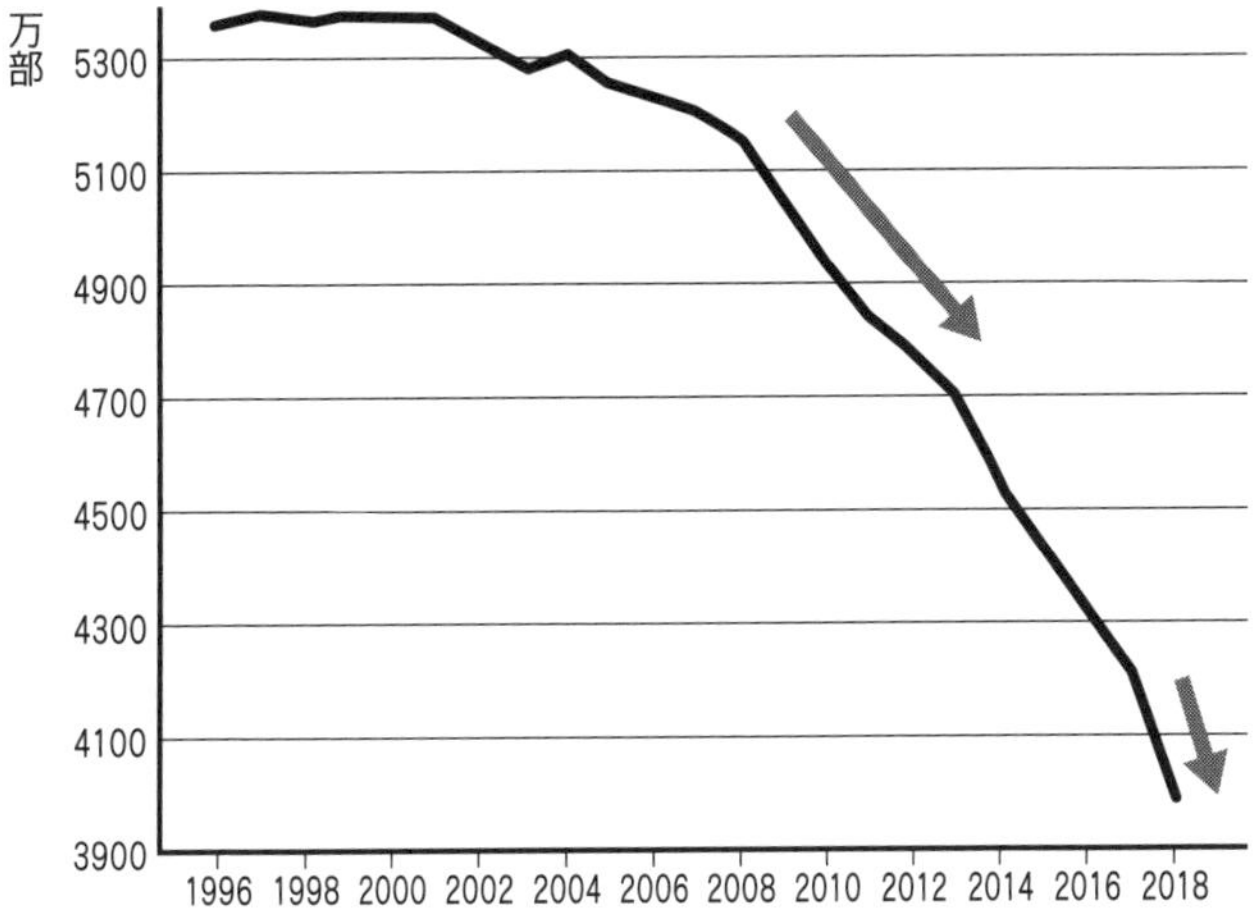

▲年に 200 万部超の勢いで購読部数が減っている

2012年を100とする大手紙の発行部数推移

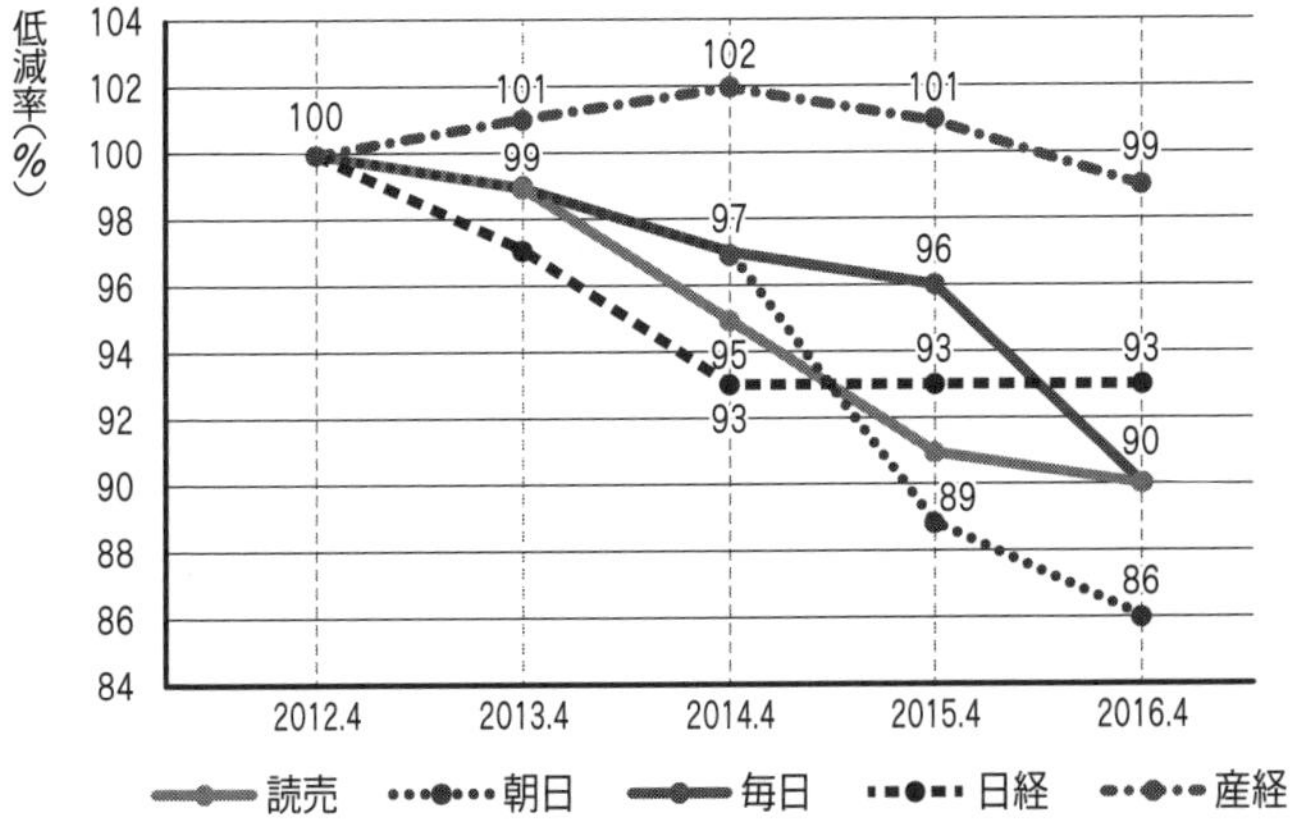

▲朝日・読売、ツー・トップの凋落が凄まじい

客はだれも手に取らない。山積みにされた新聞は、これも燃えるゴミで廃棄される。これを新聞社は、〝発行部数〟として水増し公表している。

すると高い広告費が取れるからだ。

たとえば、朝日は、この〝サギ行為〟で年間四〇〇億円の収入を得ていると試算されている。読売など他社も同じだ。

朝日、早期退職六〇〇〇万円

発行部数一〇〇〇万部と称して広告料金を吊り上げ、じつはその部数の二割もが「押し紙」とすれば、広告主は騙《だま》されたことになる。立派な詐欺犯罪だ。

このような犯罪行為で利益を手にしている新聞社に、政権や企業のチェックができるはずがない。

だから、それに気づいた大衆が急激に新聞ばなれを起こしているのだ。

それも、もともとは新聞社みずからがまいたタネだ。

選挙速報を捏造し、調査もせずに〝世論〟をデッチアゲていた。

そのことを、国民が知ったら、大手紙は一気に壊滅するだろう。

「朝日新聞、最大六〇〇〇万円で、早期退職者募集！」

二〇一九年暮れに衝撃ニュースが駆け巡った。

一二月から「朝日」の最大規模のリストラ計画が判明したのだ。
「四五歳以上の『早期退職』を募集……退職金の上限は六〇〇〇万円」(『現代ビジネス』)
ついに新聞の大崩壊が始まった。

自殺した記者、消された？ディレクター

「知らんのか自殺したぞ」

わたしは、ここまで書いて、つくづく新聞記者にならなくてよかった、と思う。

仲間の記者たちの苦悩を思うと、ツライ……(第一章参照)。

中学校時代の友人、Oを思い出す。彼は、秀才で私のよきライバルだった。

つねにテストで学年一、二位を占める。彼は、中学校を卒業すると、わたしは田舎のノンビリした進学校に進んだ。彼は、東大を目指していたのだろう、鹿児島の名門ラサールに進んだ。

それ以来、音信も途絶えた。

わたしの学年は、学園紛争のあおりで東大入試中止という異常事態に直面した。そのため人生の舵を大きく狂わされた例も多い。じつは、わたしもその一人だ。

風の便りでは、Oは東大をあきらめ京大に進学したという。

それから、またしばらくして同級生から、Oが西日本新聞で記者になっている、という噂

を聞いた。オレと同じジャーナリストの道か……。まあ、こっちはフリーだけど。髪の毛を肩まで伸ばしていた、という話も聞いた。なんだ、固真面目だったアイツも、けっこうつっぱってるなぁ……。

そして、気づけば還暦を超える歳になっていた。早いもんだ。

たまたま、中学校時代の同窓生に、会った。ふと、思い出して聞いた。

「そういや、Oはどうしてんのかなあ」

相手の顔色が少し変わった。

「知らんのか……自殺したぞ」

暗然として、声もなかった。五〇歳を過ぎたくらいだった、という。しばらく、気持ちが沈んだ。Oの心中が察せられた。わたしの友人の記者たちと同様、彼も苦しんだのだろう。自死にいたった彼の絶望。煩悶《はんもん》……。

「本当のことが書けない」「本当のことは言えない」

そんなのは、そもそも記者なんかではない。

報ステ記者は消された？

「絶対、自殺じゃありません！　僕は彼と半年ほど前に飲んでいるんです」

Sさんは、悔しそうに首をふる。彼は、「船瀬塾」のホットなメンバーの一人だ。

熱血漢のSさんが憤激するのが、『報道ステーション』ディレクター、岩路真樹《いわじまさき》さん（当時四九歳）の〝変死〟だ……。

二〇一四年八月三〇日、早朝、テレビ朝日の『報道ステーション』のディレクター、岩路真樹さんの遺体が、自宅で発見された。

部屋には練炭が使用された跡があり、警察は〝自殺〟として処理した。

その一報をキャスターの古館伊知郎は沈痛な顔で「……悲しいお知らせがあります」と伝えた。

Sさんは、いっしょに酒を酌み交わしたときの岩路氏の様子を、ありありと語る。

「僕が、『身辺に注意してくださいよ』と言ったら、笑いながらこう答えたんです。

――もしも、僕が〝自殺した〟という情報が流れたら、まちがいなく〝殺された〟と思ってください――」

Sさんは悔しがる。

「笑顔で冗談だと思っていたら、その後、〝自殺〟の一報でしょ。ビックリしました。確実に殺されてますよ」

「オレが死んだら殺されたと思って」

悲報直後から、ネットには〝謀殺〟説が噴出した。

全員が「自殺するようには見えなかった」「理由がまったくない」「彼は謀殺された」。

〝消された〟という情報が駆け巡ったのには理由がある。

岩路氏は、テレビ界でも珍しい硬派の記者だった。知人の週刊誌記者は証言する。

「……彼は、福島取材を積極的にやっていました。とくに急増している子どもの甲状腺ガンや除染の不正問題について、突っ込んだ取材をしていた。だから、原発がらみの暗殺説が飛び交った」

さらに、彼は「無罪のまま死刑執行」された「飯塚事件」も追っていた。

正義漢の彼は〝闇の権力〟にとって「不都合」な事実を突き止めたのではないか。

ネットでは岩路氏が、周囲に「オレが死んだら殺されたと思ってくれ……」と話していたとの情報も洩れている。

やはり、身近に迫る見えない危険を感知していたのか……。

そして、それは現実のものとなった――。

同僚は証言する。

「岩路さんは、『次は一緒に何をやろうか？』と熱く語り、やる気満々でした」

Sさんは、今も唇を噛んで悔やむ。

「あんなに元気で、明るかったのに……」

伊藤詩織さんレイプ事件

岩路さんの〝自殺現場〟を検証した警察は、「事件性なし」として〝自殺〟で処理している。これも、信用できない。安倍首相のオトモダチなら、逮捕状が発行されていても直前でもみ消される。そんな腐ったクニが、今の日本なのだ。

それは、ジャーナリスト志望の若き女性、伊藤詩織《しおり》さんを襲った。二〇一五年四月三日深夜、当時、TBSワシントン支局長・山口敬之《のりゆき》に泥酔させられ、レイプされた事件だ。

被害届を受理した警察は、克明な捜査の結果、山口の逮捕状を請求。帰国した彼を逮捕するため、成田空港で待ち構えていた。

ところが、上からの緊急命令で、逮捕は取り消された。中止を命じた警視庁刑事部長だった中村格《いたる》は出世をとげ、いまや警察庁ナンバー3の地位にまで登りつめている。

前代未聞の逮捕中止劇――。

それは山口が安倍ともっとも親しいジャーナリストだからだ。『総理』というヨイショ本を出すほどに緊密だ。だから、官邸の指示があったことは、まちがいないだろう。

なにしろ、全国で多発する不正選挙、ムサシのバックドア……などなど。市民によって一〇〇件を超える提訴が行われているのに、だれ一人逮捕もされない。

そして裁判所は、原告側の市民が提出した決定的証拠は、すべて「不採用」で撥ねつける。

不正選挙を告発する裁判の判決は、すべて〝公訴棄却〟――。その理由は、なんと「証拠不十分」。このクニは司法までもが腐っている。

あれもダメ、これもダメ……テレビは死んだ

番組でエコハウスはボツ!

私はテレビの世界に生きている人も、気の毒でならない。

外見は、華やかだ。しかし、現場は言ってはいけないことばかり。

久米宏さんが『ニュースステーション』の司会をやっていた頃の話だ。

そのディレクターの若いT君と知り合った。

「何かネタがあったらお願いしますよ」と、明るくいう。

それからしばらくして山形のシェルター社を取材した。太陽光パネルと温熱パネルで一〇〇%エネルギー自給ハウスに圧倒された。高断熱性能で、他のエネ自給モデルを引き離して日本一の高性能だ。取材から帰ってT君を思い出し、電話した。

「面白いネタがあるんだよ」「エッ、なんですか?」。彼も興味津々だ。

「じつは、山形で日本最高性能のエネルギー自給ハウス見てきたんだけどね……」

「エッ……エコハウスですか?」

それからの、彼の言葉に耳を疑った。

「ニュースステーション、エコハウス無理なんですよね」

「エッ！　どうして……」

「スポンサーが、『パナホーム』だから……」

ガクッときた。ディレクターは、これら広告主に抵触しないか、ビクビクしながら番組を制作している。しかしスポンサーの分野は多岐にわたる。いちいち気配りしていたら、放送できるテーマがなくなってしまうゾ。

「だから、出演者は食ってばかりいるのか！」

どのチャンネルも料理、グルメ番組花盛りなのもよくわかる。それ以外のネタが流せないのだ。

うまいモノ、食ってるシーンなら、だれも〝迷惑〟しない。〝文句〟はいわない。


出演！「ホンマでっか？」


「……船瀬さんにぜひ、うちの番組に出ていただきたいんです」

かつて、フジテレビの二人の若いディレクターがやって来たことがある。

『ホンマでっか!?ＴＶ』という番組の年末特番だという。

特集タイトルは「カラクチ評論家、全員集合！」。わたしに環境・食品問題などで、ズバリ切りこんでほしい、という。「ムリムリ、ぜったいに無理。スポンサーが無理だって」

しかし、二人はスポンサーは説得します！　と帰っていった。

それからほどなくして、上司のプロデューサーから電話。出演依頼の話はなかったことにしてほしい、という。断りの理由を文書で出してほしい、というと書面が届いた。

「……スポンサーの説得がうまくいきませんでした」と平身低頭である。

やっぱり……と、ただ苦笑。

わたしは、二〇年以上前、著書『買ってはいけない』（金曜日）で、マスコミの大手スポンサーを名指し、なで斬りで批判している。

まさに、わたしの名前は、極秘ブラックリストのトップに載っているのでないか。

スポンサー企業は、私の名前に、アレルギー発作を起こしたのだろう（苦笑）。

牛乳のことは話さないで

ある高名な医者は、テレビの健康番組に生出演したとき、プロデューサーから、しつこく注意された、という。

「ぜったい、牛乳のことは悪く言わないでくださいよ」

私の知人のN医師は、生島ヒロシ氏のラジオ生番組に出演し、こうコメントした。

「アイスクリームは体を冷やすので、子どもに食べさせるのは、いけませんね」

すると、生島氏は番組終了後、こっぴどく怒った。

「どうして、あんなこと言うんですか！　スポンサーのこと考えてくださいよッ！」

いつもは温厚な彼が、顔を真っ赤にして怒鳴ったというから、やはり、スポンサーは神サマなのである。

【エピローグ】

「知ろう」とすることは〝闘い〟である「知る」ことは〝勝利〟である

コロナ禍「生物兵器」は禁句

コロナ禍で、マスコミの限界がばれた。

二〇二〇年初頭から人類を襲った新型コロナウィルス騒動……。

テレビも新聞も、今も連日、コロナ報道だらけだ。

しかし――。

テレビが絶対に口に出せない、紙面に書けない単語がある。

それが「生物兵器」という四文字だ。これは、全世界メディアの絶対タブーである。

この禁句は、全世界の報道関係者を金縛りにする。

ここにも「言ってはいけない」「書いてはいけない」言葉がある。

万が一、メディア関係者の口から、この〝四文字〟がもれたら、即座に、それは反論の集中砲火を浴びる。

その「砲弾」が〝フェイク・ニュース〟の八文字だ。

わたしは、ため息まじりで苦笑するしかない……。

やれやれ……どこまで続く、言葉狩り……。

本書でいくども述べたが、全世界のメディアは、見えざる〝闇の力〟に支配されてきた。

〝闇の力〟が世界メディア支配

その〝闇〟の正体をあっさり言ってしまえば、イルミナティだ。

その中枢を支配する〝双頭の悪魔〟の二大財閥だ。

ロスチャイルド、ロックフェラー両家は、世界の巨大メディアを支配下に置いてきた。

つまりは、世界のあらゆる情報の〝元栓〟を握ってきたのだ。

具体的にいえば、ロスチャイルド一族は『THE《ザ》 TIMES《タイムス》』『Sun《サン》』『CBS』『ABC』『ロイター通信』他を支配し、ロックフェラー一族は『NBC』『US News《ニュース》』『AP通信』『ザ・ウォール・ストリート・ジャーナル』他を掌握してきた。

とくに、〝闇の勢力〟は、世界の通信社の九割以上を所有・支配している。

つまり、この地球を流れる「情報」は、とっくに〝やつら〟のものなのだ。

〝やつら〟は、われわれ人類を「ゴイム」（獣）と呼ぶ。

はじめから人間だとは思っていない。

やれやれ……またもや、苦笑いと舌打ちである。

言葉狩りこそ真実の証明である

しかし――。

〝やつら〟が支配しきれないメディアが出現してきた。

インターネットである。

ところが〝やつら〟はネット・ポリスという飼い犬の尻を叩いて、ネット上でも〝言葉狩り〟に必死だ。

「コロナ」「生物兵器」などの単語は、即座に抹消する。

しかし、隠されて、現れぬものはない。

〝かれら〟は「生物兵器」という言葉を必死で、シラミつぶしで消していく。

それは――コロナが生物兵器である――ことの、逆証明である。

だから――われわれは、〝消された言葉〟〝潰された単語〟に着目しなければならない。

それは、〝やつら〟にとって〝不都合な真実〟だからだ。

「９・１１自作自演」「偽旗《にせはた》攻撃」「パリ多発テロ」「フリーメイソン」「明治天皇すりかえ」「マレーシア航空機」「ジャンボ機撃墜」「リニア亡国」「５Ｇ攻撃」「地震兵器」「ケムトレイル」「ＨＡＡＲＰ」「不正選挙」「ＳＴＡＰ細胞」……などなど。

本書で、とりあげたキーワードだ。

すべて、メディアから〝消された〟言葉だ。

つまり、それは〝やつら〟にとって「言ってはいけない」「書いてはいけない」真実だからだ。

日本は平和なサルの列島

すでに、人類一％以下の〝やつら〟が、残り九九％以上の「富」を所有する。

いいかえると、〝やつら〟は九九％以上の「情報」も所有する。

〝やつら〟にしてみれば、人類九九％は「ゴイム」（獣）なのだ。

「……獣には『富』も『情報』も不要だ」

第二次大戦後、先勝国アメリカ大統領トルーマンはこう言ってのけた。

「この国のサルたちをスポーツ・セックス・スクリーンの3S政策で洗脳し、家畜として支配する」

そう……日本は、平和なサルの列島なのだ。

あなたが、あなたの家族が……サルとして生きる。それも、あなたの自由だ。

なにも知らなければ、それはそれで、のどかな日々である。

しかし、このサルの列島では、まともな選挙すらもはや行われていない。

しかし、サルたちは、なにも知らず、ゆったりと欠伸《あくび》をしている。じつに、幸せそうだ。

闇の飼育係も、満足げに、うなずいている。

しかし、わたしは、あなたに、サルではなく、ヒトとして生きてほしい。

あなたの家族もヒトとして生き抜いてほしい。

自由からの逃亡、真実からの逃亡

第一次大戦後、ドイツ国民は、世界でもっとも「自由」を保障するワイマール憲法を与えられた。しかし、彼らは「自由」を投げ捨てた。そして、「不自由」なナチズムを選んだ。

その先に待っていたのは底無しの「地獄」であった（『自由からの逃亡』エーリッヒ・フロム著）。

日本にも古来、「知らぬが仏」という教訓がある。

「何も知らなければ、心は惑《まど》うことなく、仏のように穏やかに生きられる」

しかし、いまは、時が止まったような封建の世ではない。

日々是好日《にちにちこれこうじつ》どころか、日々是烈日《れつじつ》の世である。

日進月歩どころか、秒針分歩の時代である。

現代社会においては「知らぬがホトケ」とは「知らないうちにホトケにされる」という意味である。

まさに、乱世である。イノチもカネも、知らないうちに奪われる。

なるほど、「真実」を知ることは、楽しいことではない。

「真言」は「耳に痛く」「心は惑う」。

しかし、「真実」に耳をふさぎ目を閉じる。

そうして生きることは、まさに「真実からの逃亡」だ。

その先には、やはり、「底無しの地獄」が待つ。

一〇〇人の九九人が目ざめる

「耳をふさぐな」「目をとじるな」「口をとざすな」「足をとめるな」

〝闇の支配者〟たちは、たかだか一％にすぎない。

人類一〇〇人のうち九九人が目ざめる。

そうすれば、〝やつら〟にもう居場所はない。

「知ろう」とすることは〝闘い〟である。

そして――。

「知る」ことは〝勝利〟なのである。

船瀬俊介

名栗渓谷、鳥たちのさえずりを聴きながら……

◉著者について
船瀬俊介（ふなせ しゅんすけ）
ジャーナリスト、評論家。1950年、福岡県生まれ。九州大学理学部中退、早稲田大学第一文学部社会学科卒業。大学在学中より生協活動に携わる。日本消費者連盟の編集者を経て1986年独立。1999年に共同執筆した『買ってはいけない』が大きな反響を呼び、以後も主に消費者・環境にかかわる分野の著書の執筆、講演活動を続けている。

船瀬俊介公式ホームページ
http://funase.net/

テレビは見《み》るな！
新聞《しんぶん》は取《と》るな！

〈洗脳《せんのう》マシン〉に腐《くさ》り果《は》てた
〈日本《にっぽん》のマスコミ〉

◉著者
船瀬俊介《ふなせしゅんすけ》

◉発行日
初版第1刷　2020年7月30日
初版第3刷　2021年12月20日

◉発行者
田中亮介

◉発行所
株式会社 成甲書房

郵便番号101-0051
東京都千代田区神田神保町1-42
振替00160-9-85784
電話 03(3295)1687
E-MAIL　mail@seikoshobo.co.jp
URL　http://www.seikoshobo.co.jp

◉印刷・製本
株式会社 シナノ

Printed in Japan, 2020
ISBN978-4-88086-372-6

定価は定価カードに、
本体価はカバーに表示してあります。
乱丁・落丁がございましたら、
お手数ですが小社までお送りください。
送料小社負担にてお取り替えいたします。